NOTRE VIE, DISENT-ILS…

Jacques Attali

Notre vie, disent-ils…

roman

Fayard

Couverture : Sacha Weber
Illustration © Yuji Susaki et Mlenny Photography/Getty Images

ISBN : 978-2- 213-62514-0

Lorsque tu vas à l'aventure, laisse quelque trace de ton passage, qui te guidera au retour : une pierre posée sur une autre, des herbes couchées d'un coup de bâton. Mais si tu arrives à un endroit infranchissable ou dangereux, pense que la trace que tu as laissée pourrait égarer ceux qui viendraient à la suivre. Retourne donc sur tes pas et efface la trace de ton passage. Et même sans le vouloir, on laisse toujours des traces. Réponds de tes traces devant tes semblables.

RENÉ DAUMAL, *Le Mont Analogue*

Le savoir scientifique a des propriétés fractales : quelle que soit l'étendue de nos connaissances, ce qui en reste, aussi petit que cela paraisse, est aussi infiniment complexe que la totalité l'était au début. Voilà, je crois, le secret de l'Univers.

ISAAC ASIMOV

Mardi 24 février 2015.

J'ai toujours eu le plus grand mal à dire non. En particulier à une femme intelligente, jolie, impertinente et boudeuse. Pourquoi suis-je incapable de résister à un sourire, à une marque d'admiration, à une tentation ; et, surtout, à un silence ? Pourquoi ai-je choisi cette vie austère, si c'est pour me laisser séduire par le plus mince compliment, succomber à la moindre vanité, gober la plus anodine flatterie, céder à la première exigence d'une femme ? Pourquoi accepter la carrière qui m'est promise, dont tant de gens rêveraient, et dont je ne veux pas vraiment ? Pourquoi accepter que ma vie soit décidée par les autres ?

C'est ce qui m'a conduit dans le piège où je me trouve maintenant, face à la mort. À moins, peut-être, de faire le geste qui… La voile blanche ou la voile noire, encore une fois…

CHAPITRE I

Genève

En ce début d'après-midi du mercredi 21 janvier 2015, pendant que l'avion de Swiss en provenance de New York survole les Alpes en direction de Genève, je songe avec jubilation à la conférence qui m'attend dans deux heures. Et avec ennui à la soirée qui suivra avec Evlyn.

J'aurais dû lui dire non. Il est trop tard, à présent. Je donnerais n'importe quoi pour ne pas la rejoindre. Heureusement, elle joue, ce soir encore, le rôle de Nina, dans *La Mouette*, au théâtre de Vidy, à Lausanne. Je l'ai vue dix fois dans cette pièce, depuis la salle ou des coulisses. Chaque fois, je redécouvre le génie tchékhovien. Fractal, dirais-je aujourd'hui. Parce que constitué de l'emboîtement d'histoires identiques, de plus en plus réduites : Medvedenko aime Macha qui rêve de Konstantin qui courtise Nina qui est amoureuse de Trigorine, lui-même fasciné par Arkadina, elle-même adulée par Dorn, lui-même courtisé par Paulina qui s'éloigne de Chamraïev.

En Nina, Evlyn est comme dans la vie : lunaire. Je l'aime sans doute encore, mais d'un amour lassé, encombré. Si je continue à la voir, si j'ai accepté ce dîner, c'est qu'une fois encore je n'ai pas eu le courage de le lui refuser, de lui faire de la peine. Encore moins ai-je celui de la quitter. Comme il m'est difficile d'échapper à la vie dont les autres rêvent pour moi !

Je ne pense pas qu'elle attende quoi que ce soit de moi. Ni moi d'elle. À la différence de ce que j'ai connu, dès le premier jour, avec Tina quinze ans plus tôt.

Tina... Ne plus penser à elle. Surtout ne plus y penser... Comment ai-je pu trouver la force de ne pas me suicider quand elle m'a quitté, il y a exactement cinq ans ? Aujourd'hui encore, quand j'y songe, une souffrance stupéfaite me submerge. Presque aussi intense qu'à la mort de notre fille. She... Quelle douleur. Jamais cicatrisée.

J'aurai peut-être, juste après la conférence, le courage d'annuler ce dîner avec Evlyn. Oui, c'est cela : au tout dernier moment, prétexter un repas de travail improvisé. Ce sera d'ailleurs plus vraisemblable si c'est au tout dernier instant. Elle m'en voudra peut-être moins : je déteste être détesté.

Que les hommes sont lâches, disent les femmes. Comme elles ont raison !

Pourquoi m'est-il si difficile de quitter Evlyn ? Aucun amour, pas même une relation passagère ne m'attendent ailleurs. Je ressens juste intensément le désir d'être seul, de rompre avec ce que bien des gens espèrent ou exigent de moi. Être seul, après tant de cours, de missions, de conférences, de voyages ! L'âge qui vient ? La prémonition d'un grave danger qui pourrait bientôt menacer le monde ? Oui, je le devine : les dieux vont bientôt se disputer le contrôle de la foudre et les plus mauvais d'entre eux vont prendre le dessus. Le moment est venu de se concentrer sur l'essentiel.

Les horreurs à venir... Pendant le vol, depuis New York, mes obsessions ne m'ont pas lâché. Et plus encore à l'approche de l'atterrissage. Ces images de charniers reviennent de plus en plus souvent, de plus en plus précises, comme venues d'une caméra lentement mise au point. Comme une fractale dont l'image se précise en se transformant.

Respirer. Chasser ces images de mon esprit. Me concentrer. Ne plus penser... Faute de pouvoir dormir, j'ai compté pendant les heures du vol les rayures des fauteuils devant moi et imaginé en détail la forme de l'avion, le nombre de sièges, de plateaux-repas, de couverts. Je me suis représenté le revêtement du sol aux formes suffisamment complexes pour que je puisse m'y intéresser. Après un long moment, grâce à ce stratagème, mes visions ont disparu.

L'appareil tourne maintenant au-dessus du Léman. Le commandant de bord s'excuse en anglais : trois heures de retard. La neige au départ, la tempête à l'atterrissage. Il est 17 heures à Genève et c'est déjà la nuit. Je n'aurai pas le temps de passer à l'hôtel avant ma conférence.

Je regarde les nuages défiler. Je songe à Larry, comme chaque fois en avion. Larry Snower, ce grand professeur de topologie à Princeton qu'une honteuse rumeur de pédophilie avait privé du prix Crawford, après qu'il eut reçu la médaille Fields. Rencontré pendant mes études à Princeton, il avait présidé mon jury de thèse ; après mon passage à New York au laboratoire d'IBM, puis à l'université de l'Ohio, il m'avait attiré à l'Institute for Advanced Study, à Princeton. Le premier, il m'avait suggéré de regarder le monde tel qu'on le voit d'avion : « Voir le monde d'en haut, c'est en voir la réalité la plus pure », avait-il affirmé, citant Le Corbusier : « La photo aérienne dit le scandale du monde. » Il m'avait alors fait découvrir les clichés pris du ciel en 1939 par Marcel Griaule en pays dogon, et m'avait orienté vers ce qu'on n'appelait pas encore l'« ethnomathématique », les mathématiques des peuples anciens. Sans lui, je n'aurais rien fait de ce qui m'amène à Genève aujourd'hui. Rien de cet immense projet. Larry, mon maître, aujourd'hui mourant à Princeton.
Y retourner au plus vite pour le retrouver et préparer mon audition finale, avant que l'université ne fasse son choix. Juste après ce voyage en Europe et en Asie. Et avant une conférence prévue à São

Paulo. Trop, beaucoup trop de voyages. En finir, annuler…

Je compulse à nouveau mes notes. Depuis des mois, je me prépare à cette conférence annoncée à son de trompe sur « XXIe siècle : le temps de l'Afrique ». J'aurai droit à vingt minutes, comme chacun des autres intervenants répartis sur trois jours. Ayant tout préparé, je parlerai comme à mon habitude et comme l'exige le format prévu : sans notes, puis sans questions.

Une réussite, cette réunion, avant même d'avoir commencé, à en juger par la liste des orateurs dont la venue est confirmée en dépit de la tension internationale : plus d'une centaine de chefs d'État, dont tous les Africains sans exception, l'Américain et la plupart des Européens, le Chinois, le Japonais, l'Indien, l'Indonésien, le secrétaire général des Nations unies, celui de l'OTAN, le nouveau président de l'Union européenne, ancien Premier ministre finlandais qui vient d'entrer en fonction et dont c'est la première sortie, le président de la Banque mondiale, le directeur général du FMI, ceux de toutes les grandes institutions financières internationales, ceux des principales ONG et fondations, les plus puissants des philanthropes, chefs d'entreprise, banquiers, dirigeants de fonds souverains. Aussi de prestigieux écrivains, peintres, architectes-urbanistes, économistes, démographes, médecins, chorégraphes, musiciens, cinéastes, ethnologues, sociologues, anthropologues… Tous ceux qui, d'une façon ou d'une autre, sont impliqués au plus haut niveau dans l'édification de l'Afrique de demain ; sujet à la mode depuis qu'on a commencé à comprendre que le siècle nouveau sera africain, pour le meilleur ou pour le pire. Des milliers de conseillers, journalistes, attachés de presse se sont aussi précipités au siège des Nations unies, à Genève, où se tient la réunion. Plus de cent exposés sont prévus sur trois jours, simultanément dans deux salles. Soixante-douze heures pour montrer que l'Afrique est enfin prise au sérieux par le reste du monde. C'est aujourd'hui la dernière de ces trois journées.

Cette conférence tombe pourtant on ne peut plus mal : une crise économique mondiale qui n'en finit pas ; un chômage des jeunes au plus haut partout dans le monde ; une croissance économique qui ne revient ni en Europe, ni au Japon, ni dans bien des pays émergents ; une nouvelle tentative avortée de révolution en Iran ; une menace de guerre entre la Turquie, l'Irak, la Syrie et l'Iran pour le contrôle des diverses parties du Kurdistan, et d'abord de la partie kurde de l'Irak, qui regorge de pétrole ; un regain de tension entre la Chine et le Japon. L'angoisse de voir ces conflits se déclencher et s'étendre, par le jeu des alliances, comme après Sarajevo il y a un siècle... Je suppose que, si tous les grands de ce monde ont quand même choisi de venir ici, ce n'est pas seulement pour parler de l'Afrique, étonnamment calme depuis bientôt un an, mais bien pour évoquer en coulisses ces risques de conflits sur d'autres continents. Et le fait que cette réunion se tienne dans les anciens locaux de la SDN lui confère une tonalité particulière. Tant de guerres n'ont pas été évitées dans ces couloirs...

En être me fait plaisir. Pourquoi le nouveau secrétaire général de l'ONU, qui organise ce sommet, m'a-t-il demandé à moi, professeur de mathématiques fondamentales à l'université de Princeton, de venir parler en séance plénière, devant tant de chefs d'État et de gouvernement, de certains de mes travaux les plus théoriques ? Bien des collègues m'ont expliqué que nous autres, universitaires, ne devrions jamais nous commettre dans ce genre de cirques politiques, qu'ils ne peuvent que nuire à notre réputation ; d'aucuns ont même prétendu que cela me coûterait la direction de la future faculté d'ethno-mathématique, dont la création doit être décidée dans quinze jours. J'ai laissé médire les envieux : mes travaux viennent de faire beaucoup parler d'eux. Larry m'a toujours assuré qu'ils me vaudraient un jour une renommée planétaire à cause de ce qu'ils impliquent. Lui seul l'a compris, mais sans trop y croire.

J'imagine même que c'est lui qui a suggéré mon nom à Mark Diffenthaler, l'adjoint du secrétaire général, en charge de l'Afrique et du Moyen-Orient. Ce ne peut être que lui : Larry, Mark et moi nous connaissons très bien. Mark était étudiant à Princeton avec moi il y a vingt ans, lui en droit, moi en mathématiques. Sa femme Martha connaissait bien celle de Larry, Edna : toutes deux italiennes. Mark est au courant de ma thèse sur les villages africains et de mes travaux qui ont suivi sur les conceptions africaines du temps. Même s'il n'y comprend pas grand-chose, Mark a dû y voir une preuve de la très ancienne sophistication de l'Afrique. Et, aujourd'hui, l'ONU a grand besoin de ce rappel, quand le monde va si mal par ailleurs.

Atterrissage, enfin. Brutal et chahuté. L'avion tarde à rejoindre son bloc. J'enrage : l'aéroport de Cointrin n'est pourtant pas Kennedy Airport ! J'allume mon téléphone. Un message d'Evlyn que je ne prends même pas la peine de lire : sûrement quelque allusion érotique. Un message de Larry qui dit s'inquiéter de la tension internationale, pour ses enfants installés en Italie.

Je vais sur les réseaux sociaux : ils n'énoncent aucune aggravation de la situation depuis mon décollage. Les flottes de Tokyo et de Pékin se concentrent, se croisent et se défient toujours en mer de Chine pour la propriété d'îlots que les uns nomment Senkaku et les autres Diaoyu. Par ailleurs, la tension autour du Kurdistan semble suspendue, malgré la déclaration unilatérale d'indépendance de quelques villages du Kurdistan syrien, que nul ne prend au sérieux.

Enfin, les portes de l'avion s'ouvrent. Je fonce vers la sortie sans trop d'égards pour les autres passagers. La foule des aéroports... Ne pas sombrer à nouveau dans mes visions, pas maintenant. Me concentrer. Je tends mon passeport au contrôle. Regard insistant. Que me veut-on ? Pas de valise à attendre. Tout est dans mon bagage à main. Je passe la douane sans attirer l'attention du douanier distrait.

En franchissant la porte vitrée automatique qui sépare la douane du hall d'entrée, je cherche un panneau affichant mon nom. J'imagine que les organisateurs m'ont envoyé un chauffeur. Accoudé à la barrière, face à la sortie, je découvre la silhouette efflanquée de Mark Diffenthaler. Impossible de ne pas le reconnaître, même si je ne l'ai pas vu depuis... depuis combien de temps déjà ? Trois ans... Il est venu en personne ! Ses yeux d'un bleu très pâle, ses cheveux blonds trop longs accentuent son allure d'éternel adolescent : entre le vieux mannequin de mode et l'ancien joueur de tennis. Immuablement affublé d'une veste en cachemire moutarde, d'une chemise jaune à grosses rayures rouges, d'une cravate rouge à fines rayures jaunes, de chaussettes rouges et de chaussures jaunes. Le dandy genevois, né en France, est devenu un très célèbre professeur de droit international, spécialiste des droits de l'homme, hissé à présent au poste de secrétaire général adjoint des Nations unies. Diplomate par hasard, baroudeur par goût, grand alpiniste aussi. Pourquoi s'est-il lui-même dérangé ? Il doit pourtant avoir beaucoup à faire ! Quelque chose à me dire avant que je prenne la parole ? M'expliquer pourquoi, vraiment, il m'a invité ?

En le voyant, je repense aussitôt à Sergio. Tout le monde songe à Sergio en croisant Mark. Sergio Vieira de Mello, haut-commissaire de l'ONU aux droits de l'homme, mort il y a presque douze ans, le 19 août 2003, dans un attentat qui tua quatorze personnes et détruisit le quartier général des Nations unies à Bagdad. Mark Diffenthaler s'y trouvait, lui aussi ; jeune professeur (il avait alors trente-trois ans) en mission pour un mois pour le compte de la Commission des droits de l'homme, il fut le seul survivant de l'explosion du troisième étage. Même pas blessé. On s'était toujours demandé comment il s'en était tiré. On avait raconté qu'il avait quitté précipitamment l'immeuble quatre minutes avant l'explosion. Nul ne pouvait évidemment le soupçonner de complicité avec Abou Moussab al-Zarqaoui, chef d'Al-Qaida en Irak, ni avec le groupe kurde Ansar al-Islam, qui, l'un et l'autre, avaient aussitôt revendiqué l'attentat. Et qui, l'un et l'autre, sont au cœur des événements d'aujourd'hui dans la région.

Certains avaient cependant insinué que le gouvernement irakien avait commandité l'attentat et que Mark avait bénéficié de connivences diplomatiques... Sûrement faux. Juste une chance exceptionnelle. Dont il n'avait jamais voulu reparler : le remords du survivant, de l'improbable miraculé, sans doute.

Quelques jours plus tard, aux obsèques de Sergio dans le cimetière des Rois, à Genève, cette ville que le Brésilien à l'esprit si universel aimait tant, la présence de Mark avait gêné la petite foule de diplomates et d'amis venus du monde entier. Parce qu'il avait survécu. Mais davantage encore parce qu'il arborait sa sempiternelle cravate rouge à rayures jaunes...

Depuis, on n'avait jamais rien appris d'autre sur les auteurs de cet attentat. À présent, avec la tension au Kurdistan, nul n'y pense plus, si ce n'est pour constater que la thèse du terrorisme kurde a retrouvé des partisans.

En me voyant surgir du hall de récupération des bagages, Mark sursaute, sourit, bondit vers moi, s'engouffre dans la zone sous douane malgré les panneaux d'interdiction, me serre fort dans ses bras, trop fort, et s'écrie :

– Tristan ! Quelle joie de te retrouver enfin ! On peut dire que tu t'es fait désirer ! Donne-moi ton sac...

Sa voix, aux accents si particuliers dans les graves, n'a pas changé. Elle n'est pas pour rien dans son succès auprès des femmes.

Je déteste maintenant ces instants-là, en ces lieux-là. Plus personne, sinon des taxis, n'attend plus personne. Signe de la solitude croissante, dans nos sociétés.

Mark m'arrache mon bagage, le confie à un homme que je n'avais pas remarqué et qui vient de le rejoindre : un Sikh à la taille impressionnante, encore rehaussée par un turban blanc impeccablement noué. Mon regard est attiré par cet enroulement complexe : une fractale… Ne pas regarder ! Ne pas compter ! Lui me fixe sans aménité. J'en suis gêné. L'ai-je déjà rencontré ?

En me poussant vers la sortie, Mark m'explique que je suis très attendu et que, mon avion ayant pris beaucoup de retard, je n'ai pas le temps de passer à mon hôtel : « Le meilleur de Genève, les Bergues : tu vois, je t'ai soigné ! » Mark semble préoccupé, fébrile. Il consulte nerveusement son BlackBerry – un des derniers, car presque plus personne ne les utilise. Nous fonçons vers le parking où nous attend une longue limousine noire, une vieille Bentley, sur l'aile de laquelle flotte le drapeau des Nations unies. Le Sikh pose mon bagage à l'avant, et nous ouvre les portières arrière. Son regard m'indispose, comme un reproche. Qui est-il ? Je fais mine de ne pas le remarquer. L'intérieur du véhicule, de cuir noir, exhale une odeur entêtante. Un parfum de femme. Lequel ? Me concentrer. Ne pas penser.

Le Sikh s'installe au volant et démarre à vive allure en direction du Palais des Nations, par la route bordant le lac. Mark est silencieux, tout occupé à répondre à un message sur son téléphone. Pourquoi est-il venu, s'il n'a rien à me dire ? Je lui demande des nouvelles de sa femme, Martha, que j'ai rencontrée à Princeton où elle était venue, elle aussi, parachever des études de droit. Je sens le regard du chauffeur sur moi, dans le rétroviseur, comme s'il s'attendait à ce que je profère quelque insulte. Mark lève les yeux de son écran, l'air contrarié d'avoir été interrompu au milieu d'un échange de messages.

– Martha ? Elle va bien. Elle est à Venise avec les siens. Tu sais : le *palazzo* familial... J'adore cette maison. C'est là que je voudrais mourir. Passé cent ans, bien sûr ! La famille de Martha est devenue la mienne, tu sais. Pour ce qu'il m'en reste... Martha est formidable, je ne pourrais rien sans elle.

Mark se vante souvent d'être issu d'une famille de modestes fonctionnaires français, omettant, pour expliquer sa réussite, d'évoquer la fortune immense de son beau-père, grand armateur de la Sérénissime.

Tout en parlant, Mark achève de pianoter une longue réponse sur son appareil ; je devine qu'il la relit avec attention avant de l'envoyer. Il en reçoit très vite une autre à laquelle il répond plus brièvement, puis feuillette des papiers, les annote, les froisse avant de les tendre au chauffeur, et reprend :

– Tu te rends compte, tout le monde est venu : pas la moindre défection ! Sauf le Tchèque, mais on s'en fout, du Tchèque ! Même Obama, tu réalises, malgré les tensions entre les Chinois et les Japonais ! Ça ne doit donc pas être aussi grave qu'on le prétend. Les Turcs, les Irakiens, les Syriens, les Iraniens sont là aussi. Là, c'est grave : on est à la veille d'une guerre pour le

Kurdistan... Je suis bien placé pour le savoir. C'est mon domaine, maintenant. Même ton président est là. Il a pourtant d'autres soucis, en France, avec la grogne de sa majorité, et avec le FMI qui menace de lui tomber sur le paletot ! L'Afrique est à la mode, tout le monde l'a compris. Cette année, la moitié des trente pays à plus forte croissance dans le monde sont africains. Les conflits s'y essoufflent et il y aura bientôt trois cents millions d'Africains dans la classe moyenne !

Je le sens plus intéressé par la géopolitique que par mes théories. Je me demande ce que je fais là :

– Je suis d'autant plus surpris d'avoir été invité.

Il sourit, reprend en forçant la voix :

– C'est mon idée : à cause de ta théorie. Je n'y comprends rien, mais ça m'a l'air génial. Je suis sûr que tu vas beaucoup les intéresser, ces politiciens. En fin de conférence, c'est pas mal. Depuis deux jours et demi, ils n'ont entendu parler que de politique. Fais simple, hein ? Ce ne sont pas des profs de maths que tu auras en face de toi ! Qu'ils comprennent juste à quel point les Africains sont doués depuis des millénaires ! Je suis content de le leur faire découvrir. Je ne sais d'ailleurs pas comment tout ça t'est venu à l'esprit...

Il lit sur son mobile un nouveau message, qui semble l'irriter, et y répond d'un mot. Puis pose son téléphone sur l'accoudoir, entre nous deux, et croise les bras. Il regarde par la fenêtre défiler un paysage banal d'immeubles médiocres et, avant que je puisse répondre, m'interroge en me dévisageant :

– Tes problèmes. Tes dons ? Tu les maîtrises encore ?

Mes « problèmes » ? Mes « dons » ? Qu'en sait-il ? En avions-nous parlé, à Princeton ? Je n'en ai pas souvenir. En principe, personne n'est au courant.

Je le regarde avec étonnement. Il continue :

– Ne fais pas l'idiot, j'ai bonne mémoire ! Rappelle-toi : on en avait discuté, à Princeton. J'aimerais bien avoir les mêmes, si ça n'était si pénible…

Il se tait un instant, puis, d'un ton plus âpre :

– Tu en penses quoi, de cette crise ? Ça va se tasser, ou ça va mal finir ? Toi qui es si doué, tu dois savoir ! La guerre ou pas la guerre ? Pour le Kurdistan, ce sera une sacrée bonne guerre, ça, j'en fais le pari. Ça leur fera du bien à tous ! Mais en mer de Chine…

Je me tais. De toute façon, il ne prêterait pas attention à ma réponse. Il se lance dans un monologue où il est question de patience, d'écoute, de disponibilité. Puis il m'explique en long et en large le conflit kurde, dont il est devenu l'un des meilleurs experts au monde :

– Le territoire kurde dispose de ressources naturelles considérables : gaz en Syrie, pétrole en Irak, réserves d'eau en Turquie. Par le biais du Tigre et de l'Euphrate, le Kurdistan turc contrôle toutes les ressources hydrauliques de la région. Le Kurdistan irakien aujourd'hui pratiquement indépendant recèle aussi d'énormes gisements pétroliers. Le sandjak d'Alexandrette, que les Syriens considèrent comme leur, alors qu'il a été injustement rattaché à la Turquie, constitue aussi un enjeu majeur pour ce qui concerne l'eau. C'est là que cela démarrera. Pas en Irak, comme on le croit en général. Les Kurdes syriens vont se déclarer indépendants. Retiens bien le nom de Salim Muslim, le chef des rebelles kurdes syriens. Et celui de leurs deux principales bases : Rass al-Ain et Al-Yaroubia. Chacun des pays de la région voudrait mater « ses » Kurdes pour pouvoir les utiliser contre les Kurdes des autres. Même si les Kurdes irakiens ne le veulent pas, ils vont tous se regrouper contre leurs différents oppresseurs. Tu verras. Ils vont bientôt s'unir…

Pourquoi me débite-t-il cela, dont tous les médias parlent depuis au moins un mois ? Pourquoi ne dit-il toujours pas pourquoi il est venu m'accueillir ?

Un nouveau message sur son BlackBerry semble à nouveau le préoccuper. Puis il se remet à soliloquer :

– Je te promets que, si guerre il y a, elle sera terrifiante. Les Kurdes ont des armes. Et des alliés, qui entreront en guerre à leurs côtés. Sauf si toi, le prescient, me dis de ne pas me faire de souci ?

Il me sonde du regard. Je ne réponds rien. Il continue :

– Je sais que tu n'avoueras jamais que tu l'es et que tu es parvenu à contrôler ce don pour ne pas en souffrir. Tu as grand tort. Quand on possède une telle faculté, quand on est voyant, on peut sauver des vies. Moi, par exemple…

Ah ? Le serait-il, lui, prescient ? Est-ce grâce à cela qu'il a échappé à l'attentat de Bagdad ? Je ne lui pose pas la question. Tout sauf aborder ce sujet-là ; surtout pas avec lui !

Il semble déçu par mon silence et se replonge dans les messages de son BlackBerry.

La voiture emprunte l'avenue de la Paix, passe devant le siège du Comité international de la Croix-Rouge et s'engouffre dans le parc de l'Ariana. Crissement du gravier, lumières dans la nuit déjà tombée. Le chauffeur me fixe toujours intensément dans le rétroviseur. Que me veut-il ?

Une fois la limousine garée devant l'entrée du Palais, le géant enturbanné vient m'ouvrir la portière sans plus me regarder, alors même que je le dévisage avec insistance. Mark, lui, ne descend pas. Je m'en étonne. Il consulte sa montre et marmonne en me poussant hors du véhicule :

– Dépêche-toi ! Tu parles dans dix minutes. Je te rejoins. Encore une chose à régler. J'assisterai à la fin de ta conférence. Ne t'inquiète pas pour ton bagage, mon chauffeur le déposera à ton hôtel. Je te retrouve après. Tu viens au dîner de clôture, ce soir, n'est-ce pas ? Ah, j'oubliais... Fais-moi penser à te présenter quelqu'un, à la sortie.

Je descends. La voiture repart. Je reste seul sur le trottoir, indécis. Je pénètre dans le hall pour m'y mêler à la foule des grandes conférences : délégués, journalistes, caméras... On me presse, on me pousse. Retour des charniers... Surtout ne penser à rien. Ne pas les voir. Qu'est-ce que je devine ainsi de l'avenir ? Compter : six, huit, quinze hôtesses vêtues du même tailleur noir à six boutons et d'un foulard jaune. Compter les rayures de leur foulard. Un jeune homme, habillé lui aussi de noir, se précipite vers moi, tenant un épais dossier. Celui de la conférence. Il me passe un badge autour du cou. En gros caractères y est écrit « XXIe siècle : le temps de l'Afrique », suivi de mon nom, Tristan Seigner, et de ma photo. Toujours la même. Je la déteste... Est-ce que je déteste cette photo ou l'image de moi qu'elle renvoie ? Je ne m'aime pas.

Sourire. On me conduit dans une pièce sombre, le salon des orateurs, où une hôtesse me tend un café et me montre un buffet. On me harnache d'un micro qui me fait ressembler à un chanteur de comédie musicale. Maquillage ? Non. Oui. Fatigue. Yeux cernés. Je m'inquiète :

– Vous avez ma présentation ? Vous voulez ma clé USB ?

Le jeune homme empressé consulte sa montre et regarde un technicien qui esquisse un signe de dénégation.

– Pas nécessaire. Tout est en place. Ne vous inquiétez pas. Nous avons reçu ce que vous nous avez envoyé. Allons-y, c'est à vous. Il y a mille huit cents personnes dans la salle principale et au moins autant dans l'annexe reliée par vidéo.

Le jeune homme me pousse vers un escalier étroit et sombre, que je n'avais pas remarqué, au fond du salon des orateurs, derrière une haie de plantes vertes. Je gravis quelques marches. Les coulisses ; des techniciens attablés devant de multiples écrans. Je vois la scène devant moi. Surtout ne pas penser. Repousser mes visions... Je me détends, respire. Je compte, ferme les yeux. Une grande inspiration en gonflant l'abdomen : trente secondes, puis expiration. Cinq fois. Toujours sans penser à rien. On me propulse sur scène avant même que je n'aie pu finir. Lumière aveuglante. Ni fauteuil ni pupitre. Un petit écran vidéo devant moi, un grand derrière. Personne d'autre que moi en scène. Le tohu-bohu se calme dans la salle bondée. Les spectateurs finissent de prendre place.

Me voici, seul, face à eux tous. Silence.

Commencer ? Il le faut... Les visions ne semblent pas revenir. Pourtant, les circonstances s'y prêtent. C'est comme si j'en étais prémuni par quelque chose. Ou par quelqu'un ? Oui. Quelqu'un ici de très particulier. Qui ?

Je pense à Che.

J'aurais dû lui demander de venir. Il n'habite pas si loin. Pourquoi diable n'y ai-je pas songé ?

Je sens que quelqu'un, dans cette salle, m'observe avec une attention toute particulière. Absurde : tous ces gens sont là pour me regarder ! Pourquoi s'en trouverait-il un pour me regarder différemment des autres ? Mark ? Non...

Ne plus y penser. Surtout ne chercher le regard de personne ; compter les fauteuils. Oui, compter les rangées, les sièges, les carreaux du damier compliqué qui tapisse les allées. Respirer. Le calme revient en moi. Tous les regards convergent sur moi. Ce silence ne peut plus durer. J'entame cette conférence si longuement préparée.

CHAPITRE 2

Palais des Nations unies

Je commence :

– Laissez-moi vous faire découvrir une autre Afrique que celle des clichés. Une Afrique cachée, cachée à elle-même. Une Afrique d'avant-garde depuis plus de mille ans. D'abord, quelques mots sur moi. Après un double master de mathématiques à l'université de l'Ohio, puis un doctorat à Princeton, je me suis spécialisé, un peu par hasard, dans la théorie des formes…

Silence. Malaise. Cette dernière phrase n'était pas prévue dans mon exposé. Pourquoi l'ai-je ajoutée ? Pour quelle raison commencer un discours si calibré par une improvisation ? Pourquoi ai-je à nouveau le sentiment d'être observé ? Pourquoi cette gêne ? Parce que je n'explique pas la vraie raison de ma passion pour la théorie des formes ? Et parce que j'ai le sentiment que quelqu'un, ici, dans cette salle, la connaît ?

Encore une nouvelle forme de prémonition ? Absurde. Un avertissement ? Mais de quoi ?

Ne plus regarder le public... Je continue :

– Après avoir obtenu un doctorat de topologie temporelle à l'université de Princeton, en 1994, devant un jury présidé par le professeur Larry Snower, j'ai rejoint le laboratoire d'IBM, à New York, au département du professeur Benoît Mandelbrot, célèbre pour avoir étudié les formes des plantes, le pelage des fauves, les ailes des papillons. Il a montré qu'ils obéissent tous à des lois mathématiques très précises qu'il a nommées « fractales » en 1974. C'était bien avant que je ne travaille avec lui (en fait, j'avais sept ans cette année-là). À mon arrivée à son laboratoire, il en avait soixante-dix, mais il était encore très actif (comme il l'est resté jusqu'à sa mort en octobre 2010, à Cambridge, à l'âge de quatre-vingt-six ans). En 2001, je suis devenu professeur de mathématiques à l'Ohio State University, puis, en 2008, je suis revenu à Princeton comme professeur assistant d'ethnomathématique à l'Institute for Advanced Study. J'y ai étudié la structure des formes urbaines et les théories du temps.

J'ai encore le sentiment que quelqu'un, dans la salle, sait pourquoi je cherche depuis si longtemps à comprendre ce qui détermine les formes. Qu'il sait ce que je vois ou redoute de voir...

Je reprends, espérant que personne ne perçoit mon trouble :

– Avant d'aller plus loin, je dois vous expliquer ce qu'est une « fractale », car ce concept structure une part importante de mon travail. Ne soyez pas rebutés par ce que je vais dire : ce n'est pas si compliqué ! Une « fractale » est une forme complexe, engendrée à partir d'une forme simple, en suivant un processus d'itération invariable, à une échelle de plus en plus réduite…

Un regard pèse sur moi. Précis, insistant. Je n'y devine ni menace ni crainte. Juste une intense curiosité. Je cherche… Non, surtout ne pas chercher ! Reprendre mes esprits et m'appuyer sur les dessins qui vont maintenant s'afficher sur les écrans, devant et derrière moi.

– Commençons par un exemple très simple qu'on désigne en mathématiques par un joli nom compliqué : la courbe de Koch. De quoi s'agit-il ? Un triangle équilatéral que je dessine ici :

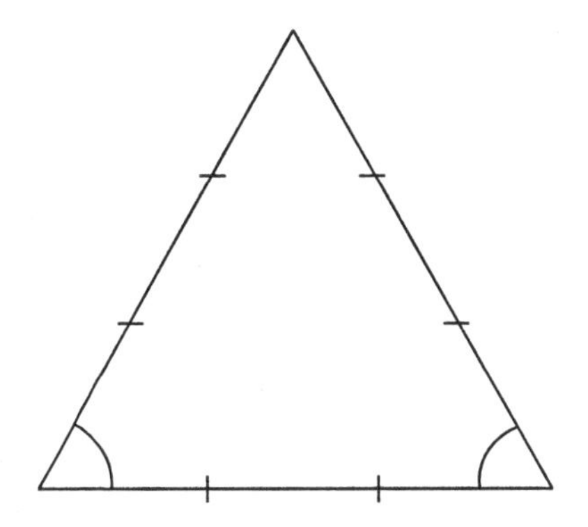

« Je divise chaque côté en trois parties égales et remplace le tiers du milieu par deux segments identiques tournés vers l'extérieur, formant ainsi un nouveau triangle équilatéral sur chaque côté du premier. D'accord ? Voici ce que cela donne : une sorte d'étoile de David.

« À partir de cette nouvelle figure, je réitère le découpage sur chacun des fragments, soit vers l'intérieur, soit vers l'extérieur, toujours en partageant en trois chaque segment. J'obtiens une nouvelle forme. Et voici ce que cela donne au bout d'une centaine d'itérations externes :

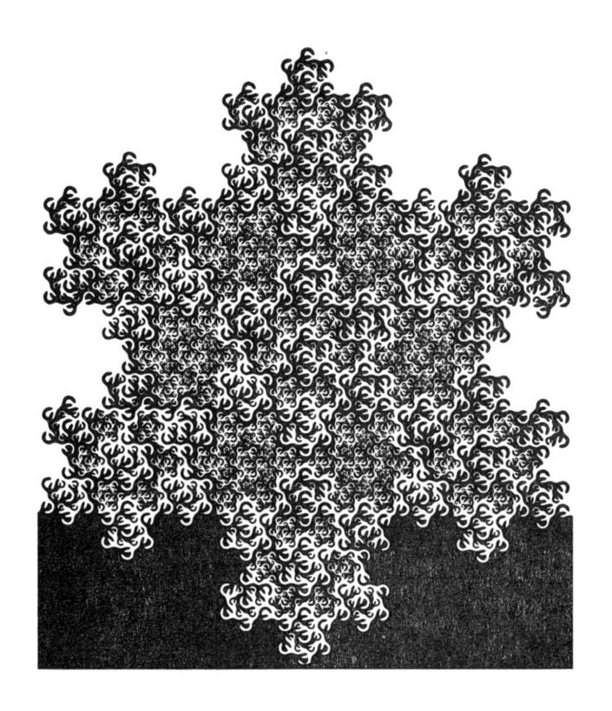

« Si complexe qu'elle devienne, cette figure reste toujours comprise entre le cercle circonscrit autour du triangle initial et le cercle inscrit dans ce même triangle. Vous voyez : la figure finale ne ressemble plus du tout à la figure initiale.

Un profond silence s'est établi. Je me sens plus à l'aise grâce à ce retour dans l'univers rassurant des mathématiques, où j'aime à me mouvoir parce qu'on n'y trouve ni présent, ni passé, ni avenir.

Je reprends :

– Les fractales peuvent être infiniment plus compliquées que celle-là : au lieu de commencer par un triangle et une règle de déformation élémentaire, on peut partir d'une forme beaucoup plus complexe, avec des règles de modification bien plus sophistiquées. En voici quelques exemples poétiquement baptisés « poussière de Cantor » et « triangle de Sierpinski »...

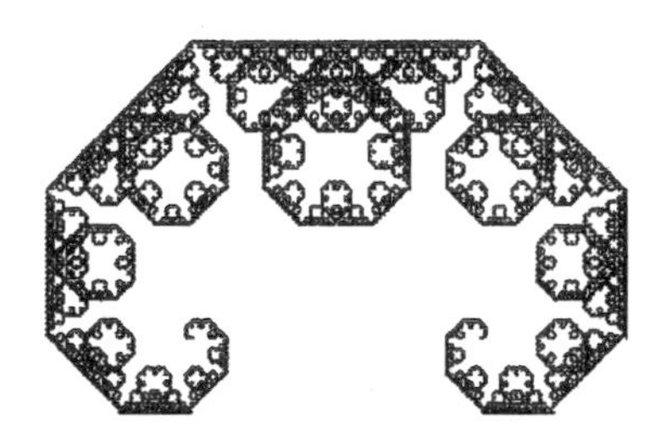

Poussière de Cantor

Triangle de Sierpinski

Toujours le sentiment que quelqu'un ne me quitte pas des yeux. Comme si j'étais mis à la question par transmission de pensée. Insupportable ! Devrai-je ajouter désormais cette nouvelle obsession à la liste de mes troubles mentaux ? Ou n'est-ce encore qu'une forme de prémonition ? Mais de quoi ? Une menace ? Respirer. Ne pas me laisser perturber par des idées parasites. Me concentrer. Compter. Ne pas céder. Me couper du reste du monde. Penser seulement à ce que je suis venu dire ici.

– Regardez maintenant ces photos prises au Sequoia Park, en Californie. Vous voyez ces fougères ? Vous remarquerez que leurs feuilles ont exactement la même forme que celles que je viens de vous montrer. Comme l'a démontré le professeur Mandelbrot, ce sont aussi des fractales. De même, les flocons de neige sont des « fractales ». Les bronches de l'homme, vos bronches, sont aussi des fractales... On peut le comprendre aisément : la nature s'autoréplique, comme les fractales.

Silence plus approfondi. Regard plus que jamais pesant sur moi. Je me lance :

– Vous devez vous demander quel rapport cela peut avoir avec l'Afrique ? Tout commença pour moi en avril 2009, quand le professeur Larry Snower, mon patron de thèse à Princeton, dont j'étais devenu l'assistant, m'a parlé des travaux de l'architecte français Le Corbusier, puis des photos aériennes de l'ethnologue français Marcel Griaule, spécialiste des Dogons. J'ai eu alors l'idée d'étudier les formes des villages africains d'après les clichés de Google Earth et ceux de la Nasa. Je voulais voir si l'on pouvait y détecter des formes mathématiquement identifiables. Tels furent les débuts de l'ethnomathématique, qui est l'étude de la mathématique des peuples premiers. J'ai scruté ces photos. D'abord en vain, pendant des semaines...

Et quelles semaines... Mais ce n'est pas le sujet. Oublier Tina. Ne pas penser à She. Comment faire pour masquer le retour de la douleur ? Ne pas me rappeler que c'est à ce moment-là que Tina m'a trompé. Elle qui m'avait suivi pendant dix ans. Et qui, en cette année 2009, il y a six ans, me laissait seul avec Che, notre fils de douze ans. Juste après la mort de She, sa sœur jumelle.

Résister. Ne plus y penser. Quelqu'un ici est au courant : c'est Mark. Mais quelqu'un d'autre, dans la salle, je le sais, a deviné... Je reprends :

– Un jour de septembre 2009, en voyageant ainsi virtuellement au-dessus d'un village du Nord-Cameroun, dans la région de Marouah, à la frontière du Nigeria, je me suis aperçu que les maisons du village dessinaient une sorte de fractale. Un habitat en forme de fractale ! J'ai hésité : peut-être était-ce une illusion d'optique, une façon de forcer le réel afin de le faire entrer dans une théorie. En octobre, avec l'appui du professeur Snower, j'ai obtenu l'accord du département de mathématiques de Princeton – d'abord réticent pour raisons de sécurité – pour financer une partie de mon voyage. Mon premier séjour dans ce très accueillant village camerounais s'est déroulé en novembre de cette même année 2009. Les habitants ont été surpris de me voir leur demander, en français, la permission de monter sur leurs toits. La vue m'a confirmé, et au-delà, ce que montraient les photos aériennes : ce village en forme de rectangle était en réalité composé de maisons elles-mêmes rectangulaires, chacune contenant d'autres rectangles de plus en plus petits, imbriqués les uns dans les autres, et formant des pièces abritant des meubles rectangulaires. Des fractales on ne peut plus simples. J'ai donc continué à chercher pour être sûr...

Moment de silence. Souvenirs pénibles. Je reprends :

– Lors d'un deuxième voyage, au printemps 2010, dans une autre région du Nord-Cameroun, à Mokoulek, près des monts Mandara, j'ai repéré un autre village construit lui aussi selon un plan rappelant les fractales. Cette fois, en spirales. Tout, dans ce village, épousait cette forme, à l'exception d'un bâtiment carré, le palais du chef. À l'intérieur de ce palais, on trouvait un autel sacré et un chemin, lui aussi en forme de spirale, menant au trône royal. L'emblème du chef était composé d'une série de spirales de taille décroissante. À la différence du précédent village, j'ai constaté que les habitants de celui-ci étaient tout à fait conscients de ce qu'ils faisaient ; ils savaient comment dessiner des spirales et les emboîter les unes dans les autres. Ils en avaient même élaboré la théorie :

ils expliquaient que leurs vies épousaient aussi la forme de spirales, puisqu'elles se répétaient de génération en génération, de plus en plus nombreuses. Ils ajoutaient que la spirale était également un symbole de fertilité et qu'elle figurait une idée de l'avenir.

Terrain dangereux. Quelqu'un, dans la salle, semble savoir parfaitement où je vais en venir. Et ce que je ne dirai pas. Trop grave... Le silence s'est fait de plus en plus compact. Ne pas y prêter attention. Continuer :

– J'ai effectué depuis lors plusieurs autres voyages en d'autres pays d'Afrique. Huit au total, en trois ans. J'ai découvert maints autres exemples d'urbanisme fractal. Certains étaient le fruit d'une intuition esthétique sans que leurs concepteurs aient été capables d'en expliciter la logique. D'autres, au contraire, utilisaient consciemment des algorithmes sophistiqués. Un cas particulièrement intéressant est celui d'un village du nord-ouest de la Zambie, de la tribu des Ba-Ilas : il s'agit d'un village en forme d'ellipse, aux maisons elles-mêmes elliptiques. En voici le schéma :

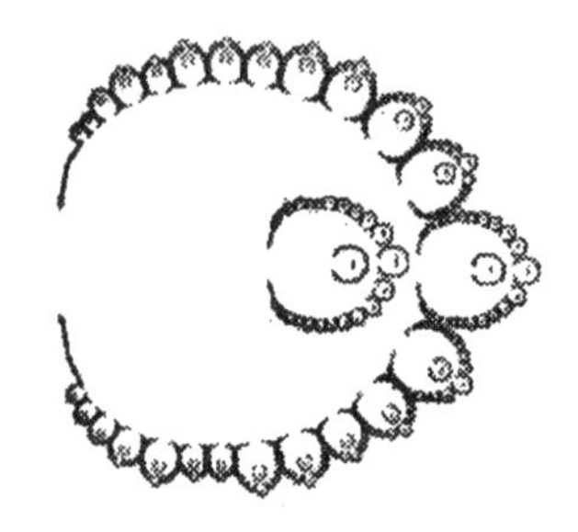

« Autre exemple : au Ghana, j'ai visité un village nankani où tout est aussi construit d'après un modèle de fractale ; même les paravents sont tressés en forme de fractale ultra-sophistiquée : la taille des nœuds varie en fonction de la distance au sol, afin de moduler la densité de la paille en fonction de la force du vent. Dans chaque maison, des calebasses sont empilées suivant le même motif de fractales. Ces piles ont une signification métaphysique : la plus petite calebasse en haut de la pile est là pour conserver, attachée à son corps, l'âme de la femme qui tient la maison ; lorsqu'elle meurt, on renverse la pile ; alors l'âme libérée s'envole vers un infini qui renvoie à celui de la fractale. L'infini du temps.

Là encore, une vibration intense quand je prononce ces derniers mots.

– En définitive, j'en ai déduit que l'urbanisme d'une grande partie des villages d'Afrique subsaharienne obéit, d'une façon ou d'une autre, à la théorie des fractales. En outre, j'ai pu constater que c'était aussi vrai des produits de bien d'autres activités humaines : les sculptures, les ornements, les étoffes, les tresses des femmes… Des fractales existent également hors d'Afrique : dans la cosmologie de l'ancienne Égypte, les croix arthuriennes, les nœuds celtiques, certaines pyramides mexicaines… J'ai retrouvé aussi ces motifs dans certains tissus amérindiens et dans ceux de certaines populations du Pacifique Sud. Il me semble même qu'on peut repérer de telles formes dans les temples d'Angkor. J'y pars d'ailleurs demain pour vérifier cette hypothèse…

Silence impressionnant. Je prends ma respiration. Terrain dangereux ?

– J'en ai déduit la quadruple raison d'être de ces fractales. Pragmatiquement, c'est une technique permettant de reproduire des villages et des maisons à l'identique, sans que qui que ce soit se sente lésé. C'est aussi une façon d'imaginer un urbanisme conforme aux nécessités climatiques de la région. C'est encore une manière de célébrer la fertilité.

J'en viens à l'essentiel :

– C'est enfin une approche de l'avenir. Certains y voient en effet une lecture répétitive de l'Histoire où tout est prévisible et prévu, puisque tout se répète ; ce qui, disent-ils, permet aisément de prédire l'avenir. D'autres y voient, tout au contraire, la symbolique d'un changement permanent, même s'il est programmé.

La salle vibre. Quelque part, quelqu'un y est particulièrement attentif.

– J'ai trouvé ensuite que les sciences divinatoires africaines s'inspiraient elles aussi de fractales ou d'autres théories mathématiques tout aussi sophistiquées, comme le calcul binaire, à l'origine ultérieurement de l'informatique.

Une rumeur parcourt la salle, où semble régner une tension considérable. Une bouffée de chaleur m'est montée au visage à l'instant précis où j'ai prononcé les mots « sciences divinatoires africaines ». Comme si un nouveau projecteur était venu m'éclairer. Un silence de plomb retombe sur la salle. Même les diplomates les plus blasés paraissent intéressés. Peut-être même certains comprennent-ils ce qu'implique ce que je m'évertue à suggérer ?

Là, un éblouissement : je *la* vois. C'est *elle* dont je sens le regard posé sur moi depuis mon arrivée sur cette scène. Au cinquième rang à droite. J'aurais dû la remarquer d'emblée. Toute vêtue de noir. Elle semble très jeune. Des cheveux noirs tirés en arrière. Queue de cheval, chignon ou tresse ? Des yeux immenses. Très clairs, je crois. Elle m'observe, parfaitement immobile. Les mains jointes sous son menton, comme en prière. Pourquoi est-ce que je me sens coupable à son endroit ?

Respirer. Me concentrer sur ce que j'ai à dire. J'en viens à l'essentiel :

– Ainsi, par exemple, au nord-est de l'Angola, les gens du peuple Chokwé tracent sur le sable des lignes appelées *sona*. Les mathématiciens d'aujourd'hui les nomment « chemins eulériens » parce qu'on peut les parcourir entièrement sans jamais lever son crayon ni repasser par la même ligne. Les mathématiques modernes ont conclu que ces lignes renvoient aux fractales. En voici l'un des tracés les plus simples :

« Ces dessins servent à prédire ou corroborer l'avenir : pour un Chokwé, l'événement qu'il attend, qu'il redoute ou espère, c'est selon, se produira s'il réussit ou échoue à tracer un tel chemin.

Elle ne me quitte toujours pas des yeux. Comme si c'était ce sujet-là qu'elle attendait que j'aborde. Pourquoi ? Je continue, comme à son intention exclusive :

– D'autres techniques de prédiction de certains peuples africains obéissent elles aussi à des lois dérivées des fractales. C'est le cas du jeu de l'*awalé* et du code *bamana* qu'on retrouve un peu partout dans le monde bambara. Dans le *bamana*, pour trouver la réponse par oui ou par non à une question sur l'avenir, un prêtre trace sur le sable à grande vitesse, selon son intuition, plusieurs rangées de traits horizontaux en nombre aléatoire. Il compte ensuite le nombre de traits dans chaque rangée. Si leur nombre est impair, il les remplace par un trait ; si leur nombre est pair, il les remplace par deux traits. Il obtient ainsi, à la place de chaque rangée, un symbole composé d'un ou deux traits. Puis il fait le total de ces traits. Si le total est pair, c'est deux traits ; s'il est impair, c'est un trait. Il a ainsi, au total, un ou deux traits. Un, c'est oui ; deux, c'est non. C'est la réponse à la question posée.

Le regard de la jeune femme s'est fait de plus en plus perçant. Je continue :

– Ces codes divinatoires ne sont pas restés confinés en Afrique. Le code *bamana* se retrouve au xᵉ siècle de notre ère dans l'empire almoravide, en Mauritanie. Un peu plus tard, des marchands africains l'ont transmis à des mystiques musulmans au Maroc. Ceux-ci l'ont ensuite apporté à Cordoue, leur capitale. Au xɪɪᵉ siècle, il est passé dans l'Espagne chrétienne, à Tolède. Puis un certain Hugo Santalia l'a communiqué au nord de l'Europe, dans le monde de l'alchimie, de la kabbale et de la géomancie. Bien plus tard, au xᴠɪɪᵉ siècle, Leibniz est tombé sur cette pratique et a remplacé la série de traits par des 0 et des 1. C'est l'invention du code binaire. Elle est reprise au xɪxᵉ siècle par George Boole, puis, au xxᵉ siècle, par John von Neumann. Ces travaux ont abouti, comme chacun sait, à la création de l'ordinateur, qui fait aujourd'hui la gloire de l'Occident. L'ordinateur sans lequel aucune prévision scientifique, aucune théorie mathématique du temps ne serait actuellement possible.

J'aperçois Mark qui vient s'asseoir juste derrière la jeune femme. Pourquoi ai-je le sentiment qu'il la couve des yeux, lui aussi ? Puis qu'il me regarde la regarder ? Je dois me débarrasser de ces fantasmes :

– Comme vous le voyez, c'est en Afrique que se sont élaborées plusieurs théories fondamentales pour notre devenir : à partir d'une réflexion sur l'art de construire des maisons et sur celui de deviner le futur. La redécouverte de ces savoirs africains, grâce à l'ethnomathématique, en particulier à partir de réflexions sur les ensembles spatio-temporels, est encore loin d'être achevée. Je suis honoré d'avoir pu vous en exposer l'essentiel. Je vous remercie.

Surtout, ne rien ajouter. Ne pas dévoiler que je suis sans doute à la veille d'avancées bien plus importantes encore.

Longs applaudissements dans la salle. Pas d'elle. Elle se lève et disparaît par une issue située sur ma droite, tout près de la tribune. Elle me semble très grande, et c'est bien une tresse nouée en chignon qui emprisonne ses longs cheveux. Pendant que les applaudissements retombent, je descends de l'estrade vers la salle, assailli par des délégués qui me tendent leurs cartes de visite et me demandent de refaire la même communication dans leur pays. Ou qui me parlent du village de leur enfance. Ou des techniques de prédiction en usage dans leur propre famille : les entrailles d'animaux, les transes des sorciers…

Mark m'attend au pied de la tribune. Je le sens tendu. Il me remercie :

– Tu as été génial. Vraiment. Le président camerounais est aux anges, il tient absolument à te connaître. Si tu as eu le trac, on n'en a rien senti !

Il me pousse vers la porte qu'a empruntée l'inconnue. Un couloir désert, on dirait une entrée de service.

Mark ne dit plus mot.

Il ouvre une nouvelle porte donnant sur le quai, au bord du lac. Dans le parc baigné par le crépuscule, le buste de Sergio de Mello surplombe la liste des noms de toutes les victimes de l'attentat.

Elle est là, devant nous. Face à nous. À quelques mètres, sa silhouette se découpant sur le couchant.

Coïncidence ?

Rien n'en est jamais vraiment une.

CHAPITRE 3

La Réserve

Je ne sais si c'est Mark ou moi qu'elle attend. J'hésite. Avancer ? la contourner ? Mark me retient par le bras. Il murmure en portugais :

– Désolé, je t'abandonne. Je dois aller à l'aéroport raccompagner le président russe. Il est quand même venu, tu te rends compte ? Je crois qu'il voulait surtout rencontrer l'Ukrainien avant leurs présidentielles. On se retrouve au dîner de clôture, ce soir ? Je dois absolument te présenter le Camerounais.

– Ce soir ? Je ne peux pas, je dois…

Déjà parti, Mark croise la jeune femme sans marquer d'arrêt. Elle ne le suit pas du regard. Me suis-je trompé ? Ne se connaissent-ils donc pas ? Pourquoi m'avoir dit qu'il souhaitait me présenter quelqu'un ? Elle, ou qui d'autre ? Pourquoi m'a-t-il parlé cette fois en portugais ?

Elle reste immobile devant moi. La nuit tombe, il fait froid. Forte bise sur le lac. Dans la faible lumière qui éclaire le monument, je devine son manteau noir, ses bottes. Elle est plus grande encore que je ne pensais. Ses cheveux très noirs accusent la pâleur de son visage. Yeux verts dont je ne puis me détacher... Elle murmure en français, d'une voix à peine audible dans le vent :

– Pourquoi n'avez-vous pas dit la vérité ?

Voix rauque. Accent léger, indéfinissable. Allemand, peut-être ?

Que veut-elle dire ? Sait-elle sur quoi je travaille ? Impossible.

– Je ne comprends pas. Qui êtes-vous, mademoiselle ?

– Yse. Yse Ziegler.

Je souris :

– Et moi, comme vous le savez, je me prénomme Tristan !

Elle le sait, évidemment. Elle ne peut donc se nommer Yse. Elle vient de se choisir ce pseudonyme. Mon prénom m'a tellement marqué depuis l'enfance ; il a été source de tant de plaisanteries ! Voilà donc encore une Yseut. Comme si elle lisait dans mes pensées, elle précise :

– Yse... Y S E, en trois lettres. Et vous, pourquoi Tristan ?

– Mon père... Non, mon grand-père aimait beaucoup Wagner. En 1938, quand il a quitté la Russie, il s'est juré de nommer son fils Tristan. Ce fut le deuxième prénom de mon père et c'est le premier pour moi.

– Pourquoi n'avez-vous pas dit l'origine véritable de votre découverte ?

J'essaie de faire bonne figure.

– L'origine de ma découverte ? Que voulez-vous dire, mademoiselle ?

Elle s'approche, presque à me toucher.

– Vous avez expliqué que c'est en tant que mathématicien que vous vous êtes intéressé aux formes. Ce n'est pas exact : vous avez depuis longtemps l'obsession des formes, n'est-ce pas ? Vous ne pouvez pas vous trouver quelque part sans compter le nombre de carreaux tapissant le sol, de fenêtres ouvrant sur l'extérieur, de rangées dans une salle de spectacle. Je me trompe ?

Comment sait-elle ? Par Mark ? L'émotion m'envahit comme une vague frappe le rocher. Je ne sens plus le froid ni le vent. Elle continue :

– Vous avez compté, n'est-ce pas, le nombre de fauteuils, tout à l'heure ?

Comment sait-elle ? Je murmure, comme hypnotisé :

– 77 rangées de 19 fauteuils, soit 1 463 sièges...

– Vous avez aussi compté le nombre de carreaux du revêtement du sol, devant la première rangée de fauteuils.

– 21 rangées de 6 carreaux chacune.

– Vous avez relevé les couleurs des cercles concentriques dessinés sur ces carreaux...

– Mauve, blanc, noir, jaune, rouge, bleu, vert. Dans cet ordre-là.

Silence. Nous nous faisons face, à moins d'un mètre l'un de l'autre. Il fait nuit noire. Le vent a forci. Que sait-elle de moi ? A-t-elle aussi compris pourquoi je comptais ?

Elle murmure sans me quitter des yeux :

– Vous m'emmenez dîner ?

Je consulte ma montre. Evlyn vient d'entrer sur scène à Vidy. Je dois la rejoindre à la fin de sa pièce, dans moins de deux heures. Plus moyen d'annuler. Je dois y aller. Je m'entends pourtant répondre :

– Bien sûr.

Elle me prend le bras, m'entraîne, hèle un taxi et dit : « La Réserve. »

Pendant toute la durée du trajet, soit vingt minutes, elle reste muette et me serre fort le bras. Grand trouble. Je ne sais plus que penser… Pourquoi ne suis-je jamais capable de dire non ?

Le taxi vire brutalement sur la droite et pénètre dans un parc éclairé de flambeaux. Au bout d'une allée, un long bâtiment blanc sans étage. Aucune enseigne. Un restaurant ? un hôtel ?

Nous descendons du taxi. Elle paie avant que j'aie eu le temps de faire le moindre geste. Comme si elle connaissait d'avance le prix de la course. Nous entrons : un vaste hall d'hôtel, des comptoirs sur la gauche et la droite. Au milieu, des fauteuils rouges et noirs. Du bruit, de la musique, beaucoup d'allées et venues. Des gens plutôt jeunes. Des rires. Des tenues des quatre coins du monde.

Nous traversons le hall, montons quelques marches. Je compte malgré moi : 53 hommes, 66 femmes. 18 fauteuils. Je la regarde marcher. Si grande, si souple. Bouleversante.

Nous pénétrons dans un restaurant. Elle paraît familière des lieux.

Qu'est-ce que je fais là ? ! Evlyn va bientôt m'attendre. Ne pas penser. Compter les tables, les chaises... 35 tables, 110 convives, 123 chaises...

Un maître d'hôtel qu'elle semble connaître nous conduit jusqu'à une table isolée, contre un mur, à l'écart du reste de la salle à manger. Savait-il que nous allions venir ? A-t-elle ici sa table réservée ? L'avait-elle retenue en vue d'y dîner avec un autre ?

Elle tend son manteau à un garçon. Dessous, jean noir, chemisier de voile noir quasi transparent. Rien en dessous. Je découvre enfin son visage en pleine lumière. Elle défait lentement sa tresse tout en me regardant et lâche ses très longs cheveux sur ses épaules. Rarement vu un spectacle aussi sensuel. C'est comme si elle se déshabillait devant moi au vu de tous.

Elle passe commande sans réclamer la carte ni me demander mon avis.

– Des sushis. Des sashimis. Du riz complet. Pour deux. Deux thés verts. Japonais.

Quel âge peut-elle avoir ? Elle se tourne vers moi ; ses yeux me vrillent ; elle dit :

– J'ai vingt-sept ans. Et vous ?

Lit-elle dans mes pensées ?

– Dix-neuf de plus. À votre naissance, je commençais mes masters dans l'Ohio.

Elle sourit :

– En fait, vous avez vingt-deux ans de plus que moi. Marié ?

Qu'est-ce que je fais là ? Je réponds :

– Oui. Séparé.

Elle déplie sa serviette.

– Tous les hommes disent ça.

– Si vous tenez à savoir, je me suis marié très jeune… Tous les hommes disent ça aussi ?

Elle sourit à nouveau. J'explique :

– Tina (mon ex s'appelle Tina) et moi, nous nous sommes connus à Paris aux obsèques de mon grand-père. Elle étudiait l'histoire de l'art. Elle m'a rejoint aux États-Unis. Nous nous sommes mariés en 1995 à Princeton, puis nous sommes allés vivre à New York, où nos jumeaux sont nés deux ans plus tard, une fille et un garçon. Nous nous sommes séparés en 2009 au bout de quatorze ans de mariage, après la mort de notre fille, She. Notre fils, Che, vit tout près d'ici, à Lyon.

Pourquoi ai-je le sentiment qu'elle sait déjà tout cela ? Qu'elle devine que, six ans (exactement 2 202 jours) après, la blessure provoquée par la mort de ma fille et le départ de sa mère est toujours béante.

– Votre femme vit elle aussi à Lyon ?

Elle a esquissé un sourire ironique. Que sait-elle au juste ? Ne pas mentir, comme je le fais si souvent quand on me pose cette question.

On nous sert thé, sashimis et sushis. Elle choisit quatre de ceux-ci, qu'elle dépose dans mon assiette. J'examine ses mains : très fines, avec des écorchures à plusieurs doigts. Comment s'est-elle fait cela ? J'affronte :

– Non. Elle m'a quitté pour un ancien joueur de cricket pakistanais devenu riche et célèbre. Ils vivent à Londres. Et vous ?

– Moi ? Pas mariée. Pas « séparée » non plus.

Un mince sourire, encore, comme pour jouir de l'ambiguïté de sa réponse. Beaucoup de mal à ne pas lui montrer mon trouble. Le temps passe. À l'heure qu'il est, Evlyn, en scène, doit se comparer à la mouette que Konstantin a tuée…

Je me reprends. À mon tour d'interroger :

– Vous faites quoi, dans la vie ?

– Je monte à cheval.

– C'est un métier ?

– J'aimerais bien ! Accessoirement, je termine une thèse de droit public international. J'ai le projet de travailler à la défense des droits de l'homme.

– Au sein d'une institution internationale ? Une ONG ?

– Plutôt comme avocate, ou magistrat, ou quelque chose comme ça. Vous voyez, malgré les guerres qui menacent, je fais partie de ceux qui font encore des plans d'avenir.

– Ne soyez pas si pessimiste !

– Je devine pourtant que les forces du Mal sont en action.

– Les forces du Mal, dites-vous ?

Elle me regarde droit dans les yeux :

– Vous le savez fort bien ! Vous avez bien quelques idées sur l'avenir, non ?

J'élude, troublé par la profondeur de son regard :

– Pourquoi êtes-vous venue assister à cette conférence ?

– Le professeur Diffenthaler m'y a invitée. C'est mon directeur de thèse.

J'avais donc deviné : ils se connaissent !

– Tout à l'heure, vous ne vous êtes pourtant pas même salués, quand il vous a croisée.

Elle repose le sushi qu'elle s'apprêtait à déposer dans son assiette. Elle lève les yeux. Son beau visage est tendu. Elle lâche :

– Parce que notre relation est secrète et que je dois le retrouver tout à l'heure pour passer la nuit avec lui.

Elle ? Bien possible. Mark est réputé pour séduire ses étudiantes.

– Et vous allez le faire ?

– Vous êtes bien indiscret ! Voulez-vous aussi savoir comment j'aime faire l'amour avec lui ? C'est un excellent amant, malgré son âge.

Elle ménage un silence, puis reprend :

– Il n'est pas plus âgé que vous, du reste… Ou je me trompe ?

Décontenancé, je plonge dans mon assiette. Ne pas penser aux sushis comme à des fractales. Elle continue :

– Cela vous choque ? Je sais parfaitement qu'il est marié. Je connais d'ailleurs très bien Martha. Ça ne me dérange pas.

J'essaie de ne pas paraître déstabilisé. Pourquoi me parle-t-elle de cette relation si elle est clandestine ?

Autour de nous évolue le ballet de serveurs, de dignitaires moyen-orientaux, de filles en jupe courte, de diplomates échappés de la conférence, dont certains me reconnaissent et me saluent.

Que me veut-elle ? Pourquoi ce dîner ? Avant que j'aie pu parler, c'est elle qui interroge :

– Vous cherchez toujours une raison derrière chaque chose ?

Encore ? ! Elle lit donc vraiment dans mes pensées ? Je lui renvoie la balle :

– Pourquoi me demandez-vous cela ?

Elle sourit :

– Vous avez bien dit, dans votre conférence, qu'il y avait « une raison derrière chaque chose » ?

– Bien sûr. C'est une déformation de scientifique. Au moins depuis Galilée, nous cherchons tous quelles équations mathématiques gouvernent le monde réel.

– Y compris les relations humaines ? Les coups de foudre ? Et même l'avenir ?

Encore le choc de son regard. Elle se passe une main dans les cheveux. Je me force à sourire :

– Non, pas encore. Un jour, peut-être...

Elle porte un autre sushi à sa bouche, le repose et me rend presque tendrement mon sourire :

– Vous cherchez aussi quelles équations mathématiques gouvernent notre rencontre ?

Je hoche la tête pour me donner contenance.

– J'aimerais bien, en effet, en connaître la raison ; même si elle n'a rien de mathématique.

Elle se recule et s'installe, le dos calé à son fauteuil.

– Vous détestez ne pas comprendre, n'est-ce pas ?

Silence. Que me veut-elle ? Va-t-elle enfin me dire pourquoi elle a voulu me rencontrer ? À quoi riment ces allusions à ma prescience ? Qu'en sait-elle, après tout ?

– C'est drôle, je ne vous imaginais pas du tout en jongleur d'équations. Vous enseignez quoi exactement ?

– L'ethnomathématique, les fractales, la place et le rôle du temps dans la science subquantique, les concepts de « *non local domain* », « *non local event* », « *non local reality* »...

– Vous croyez m'impressionner avec votre vocabulaire ? Les fractales ? Ce n'est pas si compliqué ! Si j'ai bien compris ce que vous en avez dit tout à l'heure, c'est la théorie qui dit que tout se répète en plus grand ou en plus petit ?

– C'est un peu ça.

– Et à quoi ça sert, concrètement ?

– J'ai l'intuition que les Africains ont trouvé avec ça une façon de gérer leur monde conformément aux exigences écologiques. Et la théorie des fractales appliquée à l'aménagement des villes conduira à un urbanisme économe en énergie et en ressources naturelles.

– Et à propos du temps ? Vous pensez que nos vies sont prévisibles ? De plus en plus rétrécies, jusqu'à la mort, à l'instar des fractales ? Vous pensez comme les résignés ?

– Les « résignés » ? C'est-à-dire ?

– Notre vie, disent-ils, finit par réduire à rien nos rêves et nos projets. Je déteste cette idée-là ! J'espère que vous ne pensez pas comme eux.

Elle me dévisage longuement, avec une curiosité amusée puis ajoute :

– Pourquoi n'avez-vous pas dit ce qui vous a vraiment mis sur la piste des fractales ?

– Que voulez-vous insinuer ?

– Vous le savez bien : la prescience. Rien ne m'intéresse davantage que cela.

Pourquoi en parle-t-elle ? Que sait-elle ? Qui est-elle ? Elle ne peut pas avoir deviné ! Qui lui en a parlé ? Mark ? Je ne sais même pas s'il sait ce que recouvre le mot. Et le reste, l'a-t-elle aussi compris ?

Elle me fixe intensément et continue :

– Être voyant... C'est un don terrifiant, n'est-ce pas ? Une malédiction ?

J'articule avec peine :

– J'ai parlé de procédures divinatoires, pas de prescience.

Elle insiste :

– N'êtes-vous pas vous-même un peu « prescient » ? N'avez-vous jamais le sentiment d'avoir vécu des événements bien avant de les vivre ? N'avez-vous jamais prévu le temps qu'il fera ? le résultat d'un match, l'issue d'un tirage au sort ? N'avez-vous jamais pensé à quelqu'un avant de le rencontrer par hasard ? N'avez-vous jamais pressenti que quelqu'un qui vous est cher allait se sentir mal ? qu'un proche allait mourir ? N'avez-vous jamais regretté de ne pas être capable de parer aux catastrophes que vous prévoyez ?

Voir l'avenir ? Bien sûr que je ne pense qu'à cela. Et pourtant jamais je n'en ai parlé à personne. Je hasarde :

– Non, je ne suis pas « prescient ». Et personne n'a jamais réussi à l'être suffisamment pour modifier l'avenir.

Elle reprend, très sérieuse :

– Mais vous aimez, pardon... vous aimeriez l'être, « prescient » ?

Terrain glissant. Que cherche-t-elle à savoir ? Répondre pour ne rien dire :

– Je n'y ai pas beaucoup réfléchi... Les « prescients », s'ils existent, sont très malheureux. Ceux qui se prétendent « prescients » ne sont d'ailleurs en général que des hypocondriaques, des mythomanes ou des charlatans. Les voyantes, les liseurs de boules de cristal et de marc de café sont des charlatans, et l'on peut en dire presque autant des économistes ou des météorologues...

En fait, il me semble que chacun de nous avance pour l'essentiel à tâtons, comme un romancier dans une histoire qu'il raconte sans en connaître la fin. Les vrais voyants sont très rares. Ils existent sans doute.

Elle répond comme si je n'étais plus là et qu'elle parlait dans le vide :

– Et vous ? Vous êtes voyant ? Par exemple : ce soir. Vous n'aviez pas prévu notre dîner, n'est-ce pas ? Vous n'aviez pas pressenti que nous allions nous rencontrer ?

Ne rien dire. Ne pas lui faire part de ce que j'ai ressenti pendant la conférence. Me méfier. Elle insiste :

– Vous ne croyez pas au sixième sens ?

Encore ? Elle devine ce que je pense.

– Si j'ai compris vos fractales, l'image finale peut ne pas ressembler du tout à la figure initiale ?

Elle me fouille du regard. J'ai l'impression qu'elle entre en moi. Elle continue :

– J'aimerais rencontrer un « prescient ».

Je me dégage de ses yeux qui me vrillent, j'ai le vertige. Je réponds bêtement :

– Parce qu'il pourrait vous faire gagner beaucoup d'argent en Bourse ?

Elle hausse les épaules, mange un dernier sushi et dit en me regardant droit dans les yeux :

– Parce qu'il saurait mieux que personne me faire l'amour.

Ne pas tomber dans le piège. Elle attend une réponse qui ne vient pas. Elle en semble déçue. Que cherche-t-elle ? Que me veut-elle ? Ne rien lui dire. Ne pas confier mes visions à une étrangère. Elle commande le dessert, toujours sans me demander mon avis.

– Deux salades de fruits. Et une feuille de papier, s'il vous plaît.

Le serveur lui tend un bloc aux armes de l'hôtel. Elle arrache une page, sort un fin stylo d'argent de son sac, griffonne quelques mots à l'encre verte, froisse le feuillet et en fait une boule qu'elle pose bien en évidence devant elle. Je regarde subrepticement la montre du serveur : il est temps que je parte. Evlyn va bientôt sortir de scène. Je ne peux pas ne pas y aller. Yse me relance comme si elle m'entendait penser :

– Pour vous, qu'est-ce que le temps ?

– Je… je ne suis pas pressé.

– Ce n'est pas ma question. C'est quoi, pour vous, en théorie, le temps ?

– Pour nous autres mathématiciens, il est indescriptible, si ce n'est par les événements qu'il contient. Et inversement : il est impossible de définir un événement sans préciser le moment où il a eu lieu. S'il ne se passe rien, on ne se souvient de rien. Et chacun se souvient du moment et du lieu où il a vécu un événement important. Sans événement, le temps n'existe pas.

– Vous voulez dire, par exemple, que si l'on n'aime pas, le temps s'arrête ?

Elle joue avec la boule de papier posée devant elle, puis avec la bague qu'elle porte à la main droite et que je n'avais pas encore remarquée. La pierre est verte, énorme. L'avait-elle tout à l'heure ? Vient-elle de la mettre ? Elle reprend :

– Non. L'amour n'a rien à voir avec le temps. L'amour, le vrai, s'il existe, quand il existe, ne constitue pas un événement. Il n'est pas du temps. Il est ce qui lui échappe.

Je murmure :

– L'amour est comme le bonheur, on ne le découvre que quand on l'a perdu.

Elle sourit comme à un convalescent :

– Que voulez-vous dire ?

– Vous avez de la chance de ne pas le savoir. Et je ne vous le souhaite pas.

– Vous me souhaitez de ne pas tomber amoureuse ?

– Je ne vous souhaite pas de souffrir d'amour.

Elle s'approche de moi et me caresse furtivement la joue :

– Ah, les hommes, toujours aussi pessimistes ! Ils ne veulent pas vivre l'instant de peur qu'il ne passe. Mais l'amour idéal n'a pas besoin d'être vécu ! Je vous le redis : il n'appartient pas au temps, ce n'est pas un événement.

– Comment ça ?

Son regard se dérobe. On dirait que ce n'est plus à moi qu'elle parle :

– Des lettres jamais envoyées, écrites à l'être idéal qu'on aurait dû rencontrer, qu'on ne verra sans doute jamais, qui ignorera peut-être toujours votre existence...

Pourquoi ai-je le sentiment qu'elle s'est mise à trembler ? Elle fait rouler devant elle la boule de papier avec le bout de sa cuillère, puis ajoute :

– Vous savez, il ne faut jamais laisser notre vie être décidée par les autres, n'être que ce que les autres décident. Notre vie, disent-ils en général avec mépris, ne peut être que moins intéressante que la leur...

Silence. Elle me regarde encore droit dans les yeux, puis se lève, me tend la main et dit :

– À bientôt.

Je me lève à mon tour :

– Vous partez ?

– Je vous ai dit qu'on m'attendait. D'ailleurs, on vous attend aussi, non ?

Comment le sait-elle ? Elle doit prêcher le faux pour savoir le vrai. Je risque :

– J'aimerais vous revoir.

– Nous nous reverrons, ne vous inquiétez pas.

– J'ignore toujours pourquoi vous vouliez me rencontrer.

– Pourquoi faut-il toujours une raison à tout ? Je voulais peut-être vous voir sans raison. Ou j'aurai peut-être besoin de vous. Oui. C'est cela : un jour. Quand vous serez prêt... Vous ne l'êtes pas encore.

– Prêt à quoi ?

– Il est trop tôt pour en parler. Remettons cela à votre retour d'Asie.

– À moins que vous ne m'y accompagniez ?

Sa voix claque, méprisante :

– Vous êtes toujours comme ça avec les étudiantes que vous croisez à la sortie de vos conférences ?

Je bafouille :

– Désolé, non.

– Et le fait que je sois la maîtresse de votre ami ne vous gêne pas ?

– Désolé, c'était juste un marivaudage sans importance.

Elle passe son manteau qu'un serveur lui tend. Son visage s'est fermé. Je tente :

– Pardonnez-moi. Si vous souhaitez me joindre un jour…

Je lui donne ma carte de visite, qu'elle glisse dans son sac sans y jeter un regard. Je balbutie :

– Je n'ai pas votre adresse. Ni votre numéro de téléphone.

Elle montre du menton la boule de papier froissé sur la table :

– Ils sont là. Ne m'appelez pas, je le ferai. Surtout, ne m'appelez pas. N'oubliez pas : j'aurai peut-être besoin de vous. Peut-être.

Elle s'en va.

Je me rassieds et reste un moment à la regarder s'éloigner. Pourquoi ai-je deviné que cette rencontre était lourde de menaces ? Il est 22 h 7. À Vidy, l'acte IV de *La Mouette* a dû commencer.

J'aime cette scène où, dans le cabinet de travail de Konstantin, Macha, qui a épousé Medvedenko alors qu'elle aime toujours Konstantin, rejoint Nina abandonnée par Trigorine.

Annuler ? Rentrer à l'hôtel ? Aller retrouver Mark et son Camerounais ? Mais non, Mark est sûrement déjà parti du dîner officiel pour rejoindre Yse. Annuler Evlyn ?

Trop tard. Ce serait trop lâche. Et puis, elle m'aidera à me soustraire à l'envoûtement de ce dîner…

Je me lève, m'avance vers la sortie, reviens sur mes pas et récupère la boule de papier. Je l'ouvre : deux lignes écrites à l'encre verte. Un nom : Yse Ziegler. Une adresse : 8, rue d'Italie, à Genève. Une adresse mail, un identifiant Skype, un numéro de téléphone. Le Y et le E sont calligraphiés de façon très particulière, comme des guirlandes… des fractales ?

Un taxi. Une heure de trajet jusqu'à Lausanne. La route est encombrée. Ne plus penser à cette conversation. La laisser au moins se décanter. Ce qu'elle contient d'important viendra bientôt au jour, comme après le décryptage d'un code… Un SMS d'Evlyn : « J'ai fini. Où es-tu passé ? Je vais dîner avec des amis. Rejoins-moi dans ma chambre. Je t'espère. Je t'aime. » « Des amis » : je n'aime pas quand elle emploie ce mot. Les « amis », pour elle, sont souvent des amants.

Je somnole à l'arrière de la voiture. La voix d'Yse me berce encore. Je me sens heureux.

J'arrive au Beau Rivage, palace centenaire où se croisent dirigeants africains, riches Allemands retraités, jeunesse italienne dorée. Depuis l'entrée de la salle à manger, j'aperçois Evlyn, rieuse, présidant une tablée où je reconnais les autres interprètes de la pièce. Je n'ai pas envie de me mêler à leur conversation. Je sais qu'ils refont la représentation de ce soir en se reprochant moqueusement leurs erreurs, en se vantant de ne pas être tombés dans les pièges tendus aux uns par les autres, et en critiquant le public. Rien de plus prévisible qu'un dîner de comédiens.

Je vais à la réception prendre sa clé. Le concierge a été prévenu de mon arrivée. Je l'attends dans sa chambre en ne pensant qu'à Yse.

CHAPITRE 4

Angkor

Tard dans la nuit, juste avant l'aube du 22 janvier, je quitte Evlyn en lui promettant de l'emmener à Rome dans quinze jours. Nous y irons, ai-je proposé, à mon retour du Cambodge, à la fin de ses représentations à Vidy et avant qu'elle ne reprenne la pièce au théâtre Hébertot, à Paris. J'ai émis l'idée vers 3 heures du matin, n'ayant aucune envie de m'endormir auprès d'elle : pour moi, c'est souvent la meilleure façon d'écourter une nuit avec une femme que de lui promettre de l'emmener bientôt en voyage ; le moment venu, je trouve toujours, si l'envie a disparu, une bonne raison pour remettre. De toute manière, dans quinze jours, je serai à Princeton pour préparer ma présentation pour la création du département d'ethnomathématique. À Princeton, pas à Rome.

Je rentre dormir à l'hôtel des Bergues, face au jet d'eau du lac. Mark avait tort : le luxe de l'établissement, standardisé, ne m'impressionne en rien, après tous les palaces que j'ai fréquentés dans mon enfance avec mon père et mon grand-père...

À mon réveil, vers 10 heures, je fais envoyer trente et une roses rouges à Yse, par le concierge de l'hôtel. Sans un mot. Devinera-t-elle ? Je sens bien que notre rencontre ne doit rien au hasard. Un coup monté. Par Mark, évidemment. Mais pourquoi s'est-il éclipsé dès qu'elle m'a approché ? Est-ce lui qui avait envie que je la rencontre ? Pourquoi m'a-t-elle dit : « J'aurai peut-être besoin de vous... quand vous serez prêt » ? Comment a-t-elle percé à jour mes troubles ? Pourquoi m'a-t-elle parlé de « prescience » ? Qu'en sait-elle ? Pourquoi m'apparaît-elle encore comme le signe avant-coureur d'une menace ? Pour la première fois depuis Tina, je me sens disposé à tomber amoureux.

Petit déjeuner dans ma chambre. Je consulte les journaux sur l'iPad.

Ce matin 22 janvier, les unes sont optimistes : le président Obama, le Premier ministre japonais et le numéro un chinois se sont longuement vus, hier, à Genève. Tout pourrait rentrer dans l'ordre. Rien de nouveau sur le front kurde, où les rebelles kurdes de Syrie n'avancent plus. Je m'inquiète justement d'une possible intervention des Russes qui pourrait faire le lien entre les deux zones de tension mais, visiblement, personne n'en souffle mot. Tant mieux.

Dans l'après-midi, retour à Paris par avion. À bord, toujours les mêmes obsessions : des massacres, des cadavres. Je ne crains pas un accident d'avion. Quelle catastrophe est devant nous ? Pourquoi songé-je à la Russie ? La pensée d'Yse ne me quitte pas. J'aimerais qu'elle soit là.

Arrivée chez moi, dans le trop vaste appartement de la rue de Tournon hérité de mon père. Encore meublé de ses fauteuils et tables Chippendale. Mon père, antiquaire, entre bien d'autres occupations, sans doute... Mort il y a vingt-trois ans dans un accident d'avion à Kazan, en Russie. Avec ses secrets. Ceux que son propre père, resté vivant deux ans de plus, muré dans son chagrin, n'a pu, ou voulu, m'aider à élucider.

Quelques heures seulement dans cet appartement. Un bain. Appel d'Evlyn. Je n'y réponds pas. Méditer. Jouir du silence, de la solitude. Avant de m'envoler, cette fois pour Bangkok. Après il y aura Princeton, puis São Paulo. Ces voyages seront les derniers. Besoin de changer de vie. Celle de professeur expatrié, allant de conférence en terrain de recherche, n'est plus pour moi. Seul Larry me manquera. Je ne tiens pas tellement, en fait, à obtenir la direction d'un département d'ethnomathématique à Princeton.

Parler à Larry. Je l'appelle par Skype. Il est midi sur la côte Est. Il répond et autorise la vidéo. Il est allongé sur son lit où s'étalent des livres et des papiers. Mal rasé, un bol de café à la main, il sourit :

– C'est bon de te voir ! Tu es à Paris ?

– Oui, comment vas-tu, Larry ?

– Pour un mourant, pas trop mal.

– Arrête ! Tu es juste fatigué. Tu devrais prendre des vacances. Pourquoi ne vas-tu pas voir tes fils ?

– C'est loin, Fiesole. Et je n'aime pas voyager seul. Et puis, depuis la mort d'Edna...

– Je viendrai avec toi. On ira quand tu veux. Je tiens absolument à goûter leur risotto. Tu m'en as assez parlé !

– D'accord. Tu me diras quand tu peux. On te revoit quand, ici ?

Son regard fuit l'écran. Il continue, essoufflé :

– N'oublie pas que dans vingt jours, le 12 février, tu passes ici ta dernière audition pour décrocher le poste. Tu as intérêt à préparer une leçon bien plus sérieuse que ton discours devant cette bande de politicards ! As-tu avancé sur les théories du temps ?

– J'ai trouvé quelques petites choses : d'après certaines mathématiques africaines, on peut s'avancer dans le temps pour le connaître et même y agir. Et, selon d'autres, on peut aussi y reculer pour le modifier.

– Modifier le passé ? ! Tiens-t'en aux faits ! Il y a vraiment des pratiques africaines là-dessus ?

Je n'ose lui avouer que, quoi qu'il arrive et quoi qu'il pense de mes recherches, je ne convoite pas vraiment le poste. Ne pas lui faire de peine.

– Écoute, je viens dans une semaine. Sitôt rentré du Cambodge, on en reparle, d'accord ?

– Ah oui, le Cambodge ! J'oubliais... Est-ce si urgent ? Où serons-nous, tous, dans huit jours ? Moi en particulier...

Il raccroche. Je garde longuement mon téléphone à la main. Peut-être parce que j'ai parlé de ses fils, je songe à mon propre fils. J'appelle Che. Il ne répond pas. Il me manque ; il est comme une fleur d'hiver, belle surprise, enfant inattendu, infiniment fragile. Avec sa sœur jumelle, She, morte mystérieusement dans son sommeil à l'âge de onze ans. Che a beaucoup souffert, comme Tina et moi, de la mort de sa sœur. Il a ensuite très mal vécu ma douleur lors du départ de sa mère ; il a été jaloux de mon chagrin et s'est insensiblement éloigné de moi. Non pour se rapprocher de sa mère, mais pour ne plus entendre parler de nous. Pour rester seul avec le manque de sa sœur. Pour croire aussi, peut-être, qu'il est possible d'aimer sans être trahi. Pour ne pas voir que celui des deux qui cesse d'aimer devient nécessairement cruel. Et que l'autre reste seul avec son chagrin imbécile. Un chagrin qu'il couve et chérit comme l'ultime trace d'un amour disparu. Un chagrin qu'il espère provisoire, tant qu'il rêve encore d'un retour de l'autre. Et qu'il protège longtemps parce qu'il le relie encore à une histoire dont il refuse d'admettre la fin.

Che m'en a plus voulu de souffrir qu'à sa mère de me faire souffrir. Il m'en a voulu de ne jamais plus lui parler de sa sœur, de garder pour moi cette affreuse douleur. Il s'est refermé et n'a recouvré un semblant d'harmonie qu'en partant l'an dernier, juste après son bac, pour l'École supérieure d'ébénisterie du Thor, près d'Avignon. Sa passion depuis que, dans son enfance, il coupait, sciait, rabotait, ponçait, limait, peignait et fabriquait des meubles pour les poupées de sa sœur.

23 janvier, 20 heures : je boucle ma valise. Cinq jours de voyage. Pour Angkor et Phnom Penh. Après, encore un agenda chargé : retour à Princeton pour préparer mon exposé du 12 février, puis conférence à São Paulo. Ne pas oublier d'annuler le week-end à Rome avec Evlyn : le 7 février, je serai déjà à Princeton.

Juste un bagage à main : je déteste avoir à attendre des valises sur un tapis roulant après l'atterrissage. D'ailleurs, mis à part la conférence à donner à l'université de Phnom Penh, aucune mondanité n'est prévue.

Yse n'a pas répondu à mon envoi de fleurs. Ni par mail ni par téléphone : les deux coordonnées que je lui ai laissées. Peut-être a-t-elle pensé qu'elles venaient de Mark ? Elle aurait eu raison : après tout, pourquoi lui aurais-je envoyé des fleurs ? Pourquoi repenser encore à elle ? Encore une prémonition ? Je joue avec l'idée que je serais capable de la forcer à m'appeler rien qu'en pensant à elle. Ne pas me laisser contaminer par mes recherches. Ce ne sont là que des pratiques de sorcellerie africaines.

On sonne à la porte. Je sursaute. Si c'était elle ? Je me précipite. La gardienne me tend un paquet enveloppé de papier noir, fermé d'un ruban noir.

Deux coffrets contenant chacun un livre en deux tomes. Deux mangas japonais traduits en français : *Quartier lointain*, de Jirô Taniguchi, et *Les Années douces*, du même, adapté d'un roman de Hiromi Kawakami.

Qui m'envoie cela ? Une carte avec juste un mot de trois lettres calligraphiées : « Yse ». C'est bien d'elle. Je reconnais sa façon si particulière de former le Y et le E. Et la même encre verte. Comment a-t-elle fait pour que ces livres me parviennent si vite depuis Genève ? Elle est venue, elle aussi ? Elle se trouve à Paris ?

Je me jette sur un canapé et feuillette les deux livres : aucun papier n'y est glissé. Je commence *Les Années douces*. C'est le premier manga que je lis… Le texte est écrit en français, de gauche à droite, donc ; mais les images, elles, sont rangées de droite à gauche pour conserver la mise en page originale. Je lis d'abord avec difficulté, puis avec surprise, enfin avec ravissement. Une histoire poétique, profonde :

Dans un café où elle a ses habitudes, une trentenaire fait la connaissance d'un homme solitaire, élégant, de plus de trente ans son aîné. Elle réalise qu'elle le connaît : il fut autrefois son professeur à l'université. Elle est célibataire, il est veuf. Ils se retrouvent parfois dans le même café au hasard de leurs emplois du temps ; puis ils passent de longues soirées à explorer toutes les ressources de la cuisine japonaise ; ils partent à la cueillette des champignons, achètent des poussins au marché, vont à la fête des fleurs, comptent les étoiles par une nuit d'automne. Avant qu'il ne l'emmène en voyage...

Délicate idylle où se mêlent gastronomie et goût de la nature... Pourquoi Yse a-t-elle voulu que je lise ça ? Est-ce une façon de me signifier de ne pas redouter notre différence d'âge ? Elle est d'ailleurs moindre que celle des deux héros du livre : je n'ai que vingt-deux ans de plus qu'elle. Pas trente.

J'ouvre l'autre manga, *Quartier lointain*. C'est l'histoire d'un homme de quarante-huit ans (exactement mon âge) qui, pris de boisson, se trompe un soir de train de banlieue en quittant son travail et retourne par hasard dans la ville de son enfance au lieu de rentrer chez lui. Il décide d'en profiter pour se rendre sur la tombe de sa mère. Là, il se retrouve brusquement, sans avoir rien oublié de ce qu'il a vécu, revenu à l'âge de treize ans, dans sa famille, dix mois avant la disparition de son propre père, parti sans explications et sans jamais plus donner de nouvelles. Revenu à l'adolescence, l'homme ne peut plus s'en extraire. Il finit par se résigner à l'idée de ne pouvoir retrouver femme et enfants. Vivant à nouveau sa jeunesse, il y découvre des détails qu'il n'avait pas perçus en la vivant la première fois. En particulier, il observe mieux son père, dont il essaie de comprendre la fuite à venir, pour l'empêcher. Jusqu'à ce qu'il se rende compte qu'il vient lui aussi de disparaître au même âge que son père. Parti sans doute dans une autre dimension... ?

Que veut dire Yse en m'envoyant ça ? Est-ce une référence à la prescience qu'elle me prête ? Veut-elle m'indiquer qu'il me faudrait retourner dans le passé pour comprendre mes visions ? pour maîtriser l'avenir ? Je songe à l'idée du temps qui s'écoule à l'envers comme chez Lewis Carroll... Un secret appartenant à mon père ?

Peut-on empêcher le passé d'avoir eu lieu ? Voilà en tout cas qui me donne une idée : prévoir l'avenir et modifier le passé serait une seule et même chose, puisqu'on ne peut prévoir l'avenir que si l'on y a été et que l'on en est revenu. Et que la meilleure façon d'y aller est sans doute de transiter par le passé. Quel rapport avec les fractales ? avec la vie rêvée ? Toutes ces questions qu'il me faudrait noter pour les intégrer dans mon programme de travail pour Princeton...

Trouve-t-on ces idées en certaines cultures ? Y songer à Angkor.

En refermant *Quartier lointain*, je remarque sur la dernière page, juste avant l'ultime phrase du texte (« Au loin, des cigales s'étaient mises à chanter »), deux lignes manuscrites inscrites dans un nuage, couchées d'une écriture minuscule, quasi indéchiffrable, toujours de la même encre verte avec laquelle Yse m'avait indiqué son nom et ses coordonnées, au restaurant genevois.

« 77. Dans le passé comme dans l'avenir, j'aurai besoin de vous. Soyez là. »

77 ? Pourquoi 77 ? Je regarde à la page 77 des deux livres : rien de particulier. Me croit-elle capable de remonter dans son passé pour y changer quelque chose ? Absurde ! 77, est-ce l'âge que j'atteindrai ?

Je l'appelle, même si elle me l'a interdit. Pas de réponse. Où est-elle ?

À Paris ? Il est temps de partir pour l'aéroport. J'appelle encore. Elle ne répond pas. Répondra-t-elle jamais ? Elle m'a demandé de ne pas chercher à la joindre.

Arrivée à Roissy, le 22 janvier à 22 heures. Aéroport presque désert, sauf pour les vols à destination de l'Asie et de l'Afrique. Encore un message d'Evlyn : « Pense à moi si tu vois une hôtesse qui te plaît. Drague-la pour nous deux. Nous pourrions l'emmener à Rome… » Il faut vraiment que je trouve le courage d'annuler notre rendez-vous du 7 février.

Vol de la « Thaï » pour Bangkok. Première classe payée par moi, évidemment, pas par l'université. L'héritage de mon père et la boutique du quai Voltaire me le permettent. Dormir. Compter encore pour ne penser à rien… Ne plus voir… Ne plus deviner.

Arrivée à Bangkok, le 23 janvier dans l'après-midi. J'ouvre mon iPad. La crise s'aggrave brusquement entre la Chine et le Japon. Les pourparlers de Genève n'ont servi à rien. Pékin réclame le contrôle total de la mer de Chine, y compris sur les îles que les Chinois nomment Diaoyu. Le président Xi Jinping annonce la mobilisation de dix millions d'hommes. Le Premier ministre japonais déclare que son pays vient de franchir le seuil de nucléarisation, c'est-à-dire qu'il se met en situation de fabriquer en trois mois l'arme nucléaire dont le pays possède tous les ingrédients. Elle sera opérationnelle avant la fin du printemps, dit-il, si les Chinois ne renoncent pas à leurs prétentions. Les Russes prennent clairement parti pour les Chinois, tout comme les Coréens du Nord. Ceux du Sud se rallient au Japon, à l'instar des États-Unis.

La Turquie vient par ailleurs de déclarer que tout le Kurdistan, y compris celui qui se trouve englobé dans les frontières d'autres pays, fait partie de « sa zone de sécurité stratégique ». L'armée turque ne laissera donc aucune force étrangère y pénétrer, ni aucune partie du Kurdistan se proclamer indépendante ; même pas le Kurdistan irakien. C'est à l'évidence un avertissement adressé à l'Iran, qui avait l'intention de se porter au secours de la Syrie… Toujours aucune réaction russe. J'ai pourtant l'intuition que c'est de là que le pire peut advenir.

Des massacres ? Une guerre à venir ? Me retenir… Compter les gens, encore et encore.

Bref transit : je rejoins la file d'embarquement pour Siem Reap. Bousculade. Un jeune homme, juste devant moi, de dos, me fait tressaillir : grand, cheveux blond clair comme Che. Un catogan comme Che. Il porte un sac de voyage rouge aux épaules. Le même que celui qu'utilise mon fils quand il vient à Paris. Che à Bangkok ? Dans un avion en partance pour Angkor ? Impossible... Je joue des coudes ; m'approche de lui. Non, ce n'est pas lui. Ce ne pouvait être mon fils. Comment ai-je pu penser un seul instant qu'il aurait pu être là ? Non, pas ce genre de vision-là.

Si je le vois ainsi, c'est qu'il pense à moi et que mon téléphone va bientôt sonner. Che va m'appeler.

Mon téléphone ne sonne pas : je m'inquiète. Je prends conscience que cela fait une semaine que je ne lui ai pas parlé. Avant-hier après-midi, à Genève, j'étais à deux heures de lui et n'ai même pas songé à lui téléphoner. Encore moins à aller le voir. Ou à lui demander de me rejoindre...

Je l'appelle. Il ne répond pas. Quelle heure est-il en France ? 10 heures du matin, le 23 janvier. Il est sans doute en cours. Je laisse un message.

C'est décidé, dès mon retour du Cambodge, j'irai au Thor avant de filer sur Princeton. Je lui ferai la surprise de venir dîner avec lui.

Pourquoi pensé-je encore à Che ? Parce que je souhaite me protéger d'un amour avec quelqu'un d'aussi jeune que lui ?

Tout en tendant ma carte d'embarquement à une hôtesse empressée, je renouvelle l'appel. Toujours pas de réponse. Plus de répondeur... Comment me croire voyant si je ne devine rien du sort de mon fils ?

Je trouve ma place au deuxième rang, près du hublot. Je m'installe, tout en m'efforçant de ne pas regarder les autres passagers. Touristes européens, marchands thaïs. Compter les lignes du tissu qui recouvre les fauteuils. Surtout compter. Je range mes bagages et rappelle une nouvelle fois Che. Il décroche enfin.

– Allô ?

Je l'entends mal.

– Enfin ! Tu es là ! Me voici rassuré... Comment vas-tu ?

– Papa ? Pourquoi m'appelles-tu ? Tout va bien pour toi ?

Au son de sa voix, je sens que ça ne va pas du tout pour lui ; il semble au bord des larmes. Et voilà que je l'inquiète en l'appelant.

– Oui, oui, Che, tout va bien ! Je vais bien, ne t'en fais pas pour moi ! Mais toi ? J'ai eu l'intuition que...

– Arrête avec tes intuitions ! Tu sais combien ça nous faisait rire, maman, She et moi. Tu te trompes tout le temps ! Tu ne devinerais même pas qu'un lion est couché au pied de ton lit ! Tu m'appelles d'où ? J'entends du bruit autour de toi : tu es encore dans un avion ? Tu m'appelles toujours d'un avion qui va décoller...

Je sens des larmes dans sa voix, comme si j'avais interrompu une dispute en l'appelant.

– Pourquoi dis-tu ça ? Je t'appelle aussi souvent que possible. De partout... J'ai eu le sentiment... Ta voix...

– Qu'est-ce qu'elle a, ma voix ? Arrête, je t'en supplie ! Tout va très bien, je t'assure. Tu t'en vas où, cette fois ?

– Je suis au Cambodge pour des recherches et pour donner une conférence. Je reviens dans cinq jours.

– Au Cambodge ? Cinq jours...

Sa voix est comme hébétée. Je m'inquiète pour de bon.

– Qu'est-ce qui ne va pas ? Pourquoi ne m'appelles-tu pas quand tu as des soucis ? Ton école ?

Sa voix s'adoucit :

– Non, ça n'a rien à voir.

Les portes de l'avion se referment. Les hôtesses vont bientôt me demander d'éteindre mon portable.

– Alors quoi ? Tu as un problème d'argent ?

– Mais non, avec ce que vous me donnez, maman et toi, j'ai même beaucoup trop. Et ne ramène pas tout à l'argent : je t'assure que ce n'est pas là le problème.

– Donc, tu as bien un problème. C'est quoi ? Ta santé ?

J'ai toujours eu la prémonition que Che aurait des problèmes de santé, comme sa sœur, morte mystérieusement dans son sommeil.

– Mais non !

– Tes amours ?

Jusqu'ici, je n'ai jamais parlé à mon fils de ses relations sentimentales ; je ne sais même pas s'il en a. Il ne répond pas.

L'avion se met à rouler. Je me tasse au fond de mon fauteuil, masque mon téléphone de la main et chuchote :

– Quelqu'un t'a déçu ?

– Non. Enfin, oui… Mais pas seulement.

Long silence.

– Que se passe-t-il ? Ça ne va pas, je le sens !

– Il y a que je me sens seul.

– Tu n'as pas d'amis ? De petite amie ? Je vais venir te voir.

– Oui ? Viens ! Viens ! Quand ?

– Dès mon retour, dans cinq jours, d'accord ?

– …

– Che ?

– Cinq jours ? D'accord. À dans cinq jours.

Pourquoi ses mots m'inquiètent-ils davantage encore ? Pourquoi ce reproche implicite ? Ce n'est pas dans ses habitudes que de me culpabiliser.

– Je vais même essayer de rentrer plus tôt.

Une hôtesse s'approche de moi et me fait impérieusement signe de raccrocher. Comme si elle allait m'arracher mon téléphone des mains.

– Je dois m'interrompre, Che. À très vite. Et n'oublie pas que je…

Il raccroche avant même que j'aie terminé ma phrase.

Angoisse. Je pense à… Non, chasser ça de mon esprit. Il va bien. Il l'a d'ailleurs dit, je n'ai aucune intuition. Mes obsessions ne sont pas des intuitions…Ma prescience est limitée à l'intuition de futurs conflits.

Voyage d'une heure et demie, sans histoires, à peine chahuté. Survol d'Aranyaprateth, la ville frontière. Début de la descente sur Angkor. Je songe à mon père avec qui je suis déjà venu ici, il y a si longtemps.

Mon père, l'antiquaire Léon Seigner, fils du docteur Igor Sziniawsky qui avait fui, juste avant la guerre, l'Union soviétique de Staline, dont il était pourtant un proche. Devenu en 1941 Igor Seigner dans la Résistance, à Toulouse, avant de redevenir médecin, puis antiquaire quai Voltaire, bientôt expert en arts africains, ce qui lui rapporta une fortune. Il avait l'œil et écumait l'Afrique, où je le soupçonne d'avoir pillé des dizaines de villages et de musées coloniaux : totems, masques, vases, armes, boucliers, parures, outils, bijoux... De cette fortune a vécu mon père, qui travailla toute sa vie dans la boutique du quai Voltaire et rédigea le Mazenod sur l'art africain. Fortune et boutique sur lesquelles je vis encore très largement, plus de vingt ans après la mort de mes parents, puis de mon grand-père. L'Afrique : pas étonnant que j'y sois maintenant revenu, tout en croyant y avoir échappé...

Ma mère m'espérait en sauveur du monde. Mon père aurait voulu que je sois médecin, comme son propre père. Il a été déçu de me voir faire des études de mathématiques. Ma mère aurait été si fière d'apprendre mon recrutement à Princeton... J'avais vingt-cinq ans, en janvier 1992, quand elle est morte avec mon père dans un accident d'avion en Russie, où il était allé « pour comprendre notre histoire », m'avait-il expliqué avant de partir. De quelle histoire parlait-il ? Celle de sa famille ? Pourquoi y était-il allé avec maman, alors qu'ils étaient séparés depuis déjà trois ans ? Pourquoi grand-père s'était-il opposé à ce voyage, et refusa-t-il d'aller rechercher lui-même le corps de son fils en Russie ?

Aujourd'hui encore, j'évite de passer devant la boutique du quai Voltaire qui porte toujours son nom : « Seigner, antiquaire », et que gère mon cousin.

Ne pas penser. Relire mes notes pendant le vol.

J'ai rendez-vous avec les gens du *Greater Angkor Project* : des Australiens, des Français, des Cambodgiens. Ils étudient les réseaux hydrauliques des temples à partir de photos satellite. Ce sont leurs photos qui m'intéressent. Personne, jusqu'ici, n'a songé à les utiliser pour vérifier si l'architecture des temples pouvait obéir à la théorie des fractales. Ni si les pratiques locales, les jeux de hasard ou de calcul, pouvaient receler quelque méthode relevant de la prémonition ou de la prescience. En fait, la forme, la raison d'être de l'édification de ces temples n'ont rien à voir avec celles des villages africains. Mais on ne sait jamais : on ne voit pas ce qu'on ne veut pas voir...

Quels sites visiter ? Je lis dans mes notes :

« Au début du IXe siècle de notre ère, le roi Jayavarman II jette à Angkor les bases de l'Empire khmer, qui restera la principale puissance d'Asie du Sud-Est pendant près de cinq siècles. Son successeur, Indravarman Ier, y construit le premier “temple-montagne”, le Bakong. » Celui-là m’intéresse, j’irai le visiter. « Sa forme (en cinq niveaux concentriques hérissés de cent neuf tours) symbolise celle du séjour mythique de dieux, le mont Meru. Autour de 960, le roi Rajendravarman éleva un autre temple, le Pré Rup. » Celui-là aussi m’intéresse. « Puis ont été bâtis le Phnom Bahkeng et le Banteay Srei. Un peu plus tard, vers 1060, le roi Udayadityavarman II construisit le Baphuon. Puis, vers 1130, Suryavarman II édifia Angkor Vat. Enfin le plus grand de tous ces rois, Jayavarman VII, qui prend le pouvoir en 1181, érige l’enceinte d’Angkor Thom, le Bayon, le Ta Prohm, puis le Preah Khah. » Ceux-là aussi, je dois les examiner en détail. Si fractales il y a, ce sera là, et nulle part ailleurs. S’il y a une théorie de la divination, elle sera là aussi.

Tant de choses à voir de près : un carré de 20 kilomètres de côté abritant 200 monuments et 568 sites archéologiques ! Et je ne peux rester plus de trois jours. Après, quarante-huit heures à Phnom Penh pour parler des philosophies du temps au Cambodge, retour à Paris, puis passer au Thor avant d’aller à Princeton, puis au Brésil. Pourvu que mon dos y résiste… Pour l’instant, les élancements ne se réveillent que quand l’angoisse me reprend…

J’espère qu’il n’y aura pas trop de touristes. C’est pourtant la haute saison. Je ne voudrais pas être la proie d’une crise en plein milieu de la visite.

Dès l’atterrissage, je rappelle Che, sans me faire remarquer des hôtesses. Son téléphone est de nouveau sur répondeur. Je renouvelle l'appel. En vain. J'écarte les pensées qui m'assaillent. Pourquoi me croire doté de pouvoirs singuliers ? Ces horribles visions que, depuis plus de vingt ans, je dois chasser de mon esprit ne sont pas des prémonitions, juste des phobies.

Yse... Pourquoi m'en a-t-elle parlé ? A-t-elle deviné ? Non, personne ne peut deviner. Croit-elle vraiment que je puisse connaître l'avenir ?

À la sortie de la douane, un chauffeur, dont l'uniforme blanc porte, en français, la mention « Grand Hôtel d'Angkor », agite une pancarte à mon nom. Il me conduit vers une vieille Rolls blanche arborant un écusson sur sa portière. Nous partons vers l'hôtel où je suis descendu, enfant, avec mon père et ma mère.

La route est méconnaissable : de part et d'autre, des gratte-ciel, des palaces, des magasins chics. Et aussi toujours les mêmes petites échoppes de souvenirs pour touristes. L'avenue principale porte toujours le nom de Charles de Gaulle. L'hôtel, lui, n'a pas changé : même façade claire, même escalier de marbre blanc, même vaste hall ouvrant sur la piscine au centre de la cour. Même accueil obséquieux. Mêmes meubles coloniaux entre les mêmes murs jaunes. Même restaurant à l'ancienne. Seule différence : la gestion de l'établissement est maintenant confiée à un groupe singapourien, le Raffles. On me conduit à une suite donnant sur la piscine. Le sommeil vient vite, heureusement.

*
* *

Le lendemain 24 janvier vers 11 heures du matin, brusque réveil. Pas le temps de prendre un petit déjeuner. Très tard ici, trop tôt en France. J'appelle malgré tout Che. Il ne décroche toujours pas. Cette fois, son répondeur se déclenche. Sa messagerie est pleine. Impossible de laisser un message. Je lui envoie un SMS doublé d'un mail : « Rappelle-moi. »

Je consulte avec appréhension les sites internet, craignant d'y découvrir que la guerre a éclaté entre la Chine et le Japon. Rien encore. Pourtant, tout y conduit. Comme menace l'embrasement entre la Turquie, l'Iran, l'Irak, la Syrie et leurs alliés autour du contentieux kurde…

Vers midi, je retrouve les trois envoyés de l'*Angkor Project* : deux jeunes Français à lunettes et une ravissante Cambodgienne, qu'on prendrait, à son allure, pour une hôtesse de bar plutôt que pour une spécialiste de l'art khmer. Tous trois sont diplômés d'archéologie à Paris. Avec eux, je fais un premier tour des parcs : depuis ma dernière visite, beaucoup plus de ruines sont envahies par les lianes.

Rien de convaincant dans le premier site visité, le plus célèbre : Angkor Vat. Ni dans le Bayon, temple en latérite rose où sont sculptés quelque deux cents visages géants aux sourires énigmatiques, ainsi que de fabuleux bas-reliefs sur plus d'un kilomètre, représentant plus de onze mille personnages. On peut évidemment relever des fractales dans les arbres et les plantes qui envahissent les lieux, mais pas dans les temples eux-mêmes... Encore moins quoi que ce soit qui pourrait renvoyer à une théorie divinatoire. Voyage inutile ?

Puis le Bakong, le site le plus ancien. De grossiers échafaudages percent la brique des édifices latéraux dédiés aux planètes. Rien qui puisse ressembler à une fractale. Pas plus dans le Baphuon et le Ta Keo. Ni dans le merveilleux complexe monastique de Ta Prohm.

Au Phnom Bahkeng, pyramide voisine d'Angkor Vat, et au Phrasât Thom, autre pyramide de sept degrés, toujours rien. Je commence à désespérer. Les deux Français traînent les pieds. La jeune Cambodgienne, visiblement compétente, semble prendre plaisir à échanger avec moi. Nous parlons mathématiques. Je résiste à l'idée de la draguer. Je repars après-demain : pour une nuit ? Pourquoi pas ?

En fin d'après-midi, épuisé, on arrive au Pré Rup, le temple de Rajendravarman II, bijou en brique et latérite ocre datant de 961. Son nom signifie « aux formes multiples ». Un des deux archéologues français qui m'escortent m'explique que c'est un bel exemple de restauration réussie. « Par des Italiens », commente la jolie Cambodgienne en souriant. Je n'y discerne rien de particulier. À première vue, juste un carré de 120 mètres de côté. En fait, bien plus complexe. Il semble qu'on puisse y déceler comme un motif répétitif. Il me faut l'étudier de plus près… J'en dessine le plan à partir des photos aériennes que me tend la jeune Cambodgienne :

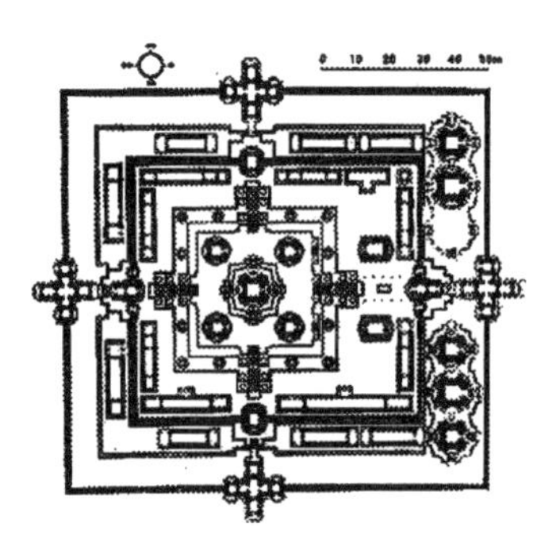

Ce plan n'a rien d'innocent. Je suis persuadé qu'il contient un message, un code. Mais lequel ? Rien de fractal… En relevant la tête de mon tracé, je réalise qu'il y a maintenant affluence de touristes autour de moi. Japonais ou Coréens. Compter… ? Fuir !

La nuit tombe vite. Retour à l'hôtel. J'hésite à inviter la Cambodgienne à prendre un verre, quand je crois comprendre qu'elle vit avec un des deux Français. Le plus fade et insignifiant des deux. Elle me quitte en m'adressant un « À demain » très appuyé.

Je souris. On verra demain à quoi s'en tenir. Pour l'heure, je vais travailler sur ce plan dans ma chambre.

Room-service. Je me souviens d'un dîner pris ici avec mon père, dans une suite comme celle-ci. Je le sens, là, près de moi. Que penserait-il de moi ? Je dois cesser de me comparer à lui. Que serais-je sans ce qu'il m'a laissé ? Sans son mystère, et celui de mon grand-père... J'avais tant espéré qu'ils me raconteraient l'un et l'autre les pages ignorées de leur passé. Qu'est-ce que mon père était allé chercher en Russie ? Je ne le saurai jamais...

Quelle heure est-il ? Minuit ici, 24 janvier ; 18 heures au Thor. Che doit répondre, maintenant ! Je l'appelle. Toujours sur répondeur.

Je me mets au travail, découpe le plan de toutes les façons possibles. Rien.

Qu'est-ce que je fais là ? Quelle présomption de croire que j'y trouverai quelque chose ; que l'architecture d'Angkor pourrait se conformer à ma théorie ! Quelle vaniteuse naïveté ! À quoi sert finalement cette recherche, sinon à nourrir mon narcissisme et à fasciner les gogos en leur faisant croire que tout, même l'avenir, s'explique et se contrôle par des lois mathématiques ? Vais-je, comme tant d'autres chercheurs avant moi, devoir admettre, à la fin de ma vie, que je l'ai perdue en la jouant à pile ou face sur une mauvaise intuition ?

Je déchire le plan et mes notes. Rentrer ? Rentrer au plus vite ! Impossible avant cette conférence à donner à Phnom Penh dans trois jours. Je n'aurais jamais dû accepter. J'enrage. Annuler ? Comment ? Impensable. Toute ma vie, j'ai raccourci mes voyages… Mais là, je ne vois pas comment y parvenir.

Appeler Evlyn ? Au moins me ferait-elle sûrement rire. Yse ? Pourquoi la relancer ? J'ai trop souvent décidé de tomber amoureux d'une femme pour m'aider à en quitter une autre… Et puis elle m'a dit de ne pas l'appeler…

Je lui envoie néanmoins un bref message : « Je pense à vous. » Ridicule… Je m'endors.

*

* *

En me réveillant, le lendemain 25 janvier, vers 11 heures (6 heures du matin à Paris), je rallume mon portable. Dix-huit mails. Trois textos d'Evlyn qui me rappelle ma promesse de l'emmener à Rome dans quinze jours. Annuler. Elle ne me manque pas. Nous avons du plaisir ensemble, sommes heureux dans l'instant, mais, sitôt éloigné d'elle, elle n'occupe aucun espace, aucun instant de ma mémoire. Son monde est le théâtre, en français. Le mien, ce sont les mathématiques, en anglais. Autant la quitter tant que je pressens que la rupture ne me coûtera aucun chagrin.

Pas de message de Che. Je le rappelle. Toujours rien. Il doit encore dormir.

Une demande de lien sur WhatsApp d'un numéro inconnu. Je n'utilise ce réseau qu'avec Che. Aurait-il changé de numéro ? J'accepte. Un message s'allume aussitôt sur l'icône verte : « Je n'aime pas les roses. Surtout rouges. Revenez vite. Vous ne trouverez rien d'essentiel là où vous êtes. Le moment approche où j'aurai besoin de vous. »

Yse, que je faisais tout pour oublier ! Comment sait-elle ce que je cherche ici ? A-t-elle deviné ? Étrange, comme ce message me fait plaisir. L'appeler ? J'hésite. Elle m'a interdit de le faire. Pourquoi me semble-t-il aussi émaner d'elle comme une menace ? Pourquoi ai-je l'impression qu'elle n'a fait que me mentir ? En quoi aurait-elle besoin de moi ?

Je traîne en peignoir dans ma chambre. Toujours aussi difficile de me lever, le matin, en Asie. Je regarde les nouvelles : un attentat, à Londres, revendiqué par des Kurdes, a gravement endommagé une tour dans la City. Chute des marchés. Les troupes turques ont pénétré dans le Kurdistan syrien, avec l'appui des troupes du Kurdistan irakien. Les Russes déclarent que leurs intérêts vitaux sont engagés dans les deux conflits qui menacent. Les Américains en font autant.

Che toujours sur répondeur.

Vers midi, un serveur frappe et apporte mon petit déjeuner. À la différence d'hier matin, j'ai pensé à demander le seul quotidien en anglais du pays, l'*Angkor Times*. J'aime lire les journaux locaux quand je peux les comprendre. Ils en disent bien plus long sur un pays que maints rapports savants. Je commence toujours par les annonces nécrologiques, qui enseignent beaucoup sur le rapport à la mort, donc à la vie, propre à chaque culture.

Ici, le journal publie de grandes photos des disparus, accompagnées d'un court texte. Électrochoc : mes obsessions étalées sur le papier, exactement ce qui occupe mes visions : les cadavres de mes interlocuteurs et de tous ceux qui sont dans la même salle que moi. Je tourne vite les pages, examine ensuite les publicités qui dévoilent à la fois les désirs, les besoins, les standards du luxe et du beau. Ils sont ici encore assez éloignés des nôtres, même si le modèle occidental s'installe de plus en plus : mobylettes, téléviseurs, climatiseurs, machines à laver, téléphones portables, ordinateurs...

J'aime aussi observer dans la presse locale la hiérarchie donnée aux informations, encore si différente de celle qui a cours en Occident. Ce matin, malgré l'attentat perpétré à Londres, la guerre amorcée au Kurdistan et l'extrême tension en mer de Chine, c'est la transformation du riz brut, le paddy, en riz consommable qui fait le gros titre de l'*Angkor Times*. J'apprends ainsi que le Cambodge exporte dans les pays voisins (Vietnam et Thaïlande) du riz brut et en importe du riz transformé. Cette situation fait la fortune de dizaines d'intermédiaires et la misère de millions de consommateurs obligés d'acheter au prix fort leur nourriture de base. Les deux grands voisins se disputent ainsi sur tous les plans la maîtrise du Cambodge.

Tournant encore les pages du journal, tout en me servant une quatrième tasse de thé, je tombe en bas de page 5 sur un article que j'ai failli ne pas remarquer :

« Le docteur Tristan Seigner, professeur de mathématiques à Princeton, de passage au Cambodge, a annulé au dernier moment la conférence qu'il devait donner après-demain 27 janvier 2015 à Phnom Penh. À la veille de son retour inopiné à Paris, il nous a accordé une interview exclusive sur sa découverte : l'architecture d'Angkor aurait, selon lui, été conçue mathématiquement. »

Incrédule, je repose ma tasse en la renversant et je relis ces lignes. Pas possible ! Il s'agit bel et bien d'une interview de moi. Mais que je n'ai pas donnée. Ou plutôt que je n'ai *pas encore* donnée, car j'ai bien rendez-vous à Phnom Penh avec le journaliste qui a signé cette interview. Je la lis. Il ne s'agit pas de la reprise d'un entretien paru ailleurs, mais bien du compte rendu d'une conversation que j'aurais eue avec ce journaliste, au téléphone, et au cours de laquelle j'aurais exposé les raisons de ma venue à Angkor, ce que j'y aurais découvert : la nature fractale des plans du temple de Pré Rup, et mes intuitions sur le code divinatoire qui pourrait y être caché. Des hypothèses dont je n'ai parlé à personne, pas même aux archéologues qui m'accompagnaient ! Au-dessous de l'interview, une photo du temple de Pré Rup.

Et cette histoire d'annulation ?

Je suis en train de rêver, ou plutôt de cauchemarder. Il m'est certes déjà arrivé souvent, trop souvent, d'avoir des visions. Mais pas de découvrir dans un journal une page de mon avenir !

Réagir. Je me précipite dans la salle de bain, me débarrasse du peignoir, me rue sous la douche. Elle est brûlante : je ne rêve pas.

Je sors de la cabine de douche et reprends le journal. Pas de doute : l'interview est bien là. Le quotidien est bien daté d'aujourd'hui, 25 janvier 2015. Quelqu'un m'aurait fait un canular en se faisant passer pour moi ? Qui ?

En relisant l'interview, autre chose m'étonne : les questions sont très sophistiquées. Rien qui ressemble à celles que pourrait poser un journaliste généraliste couvrant la conférence d'un étranger de passage pour le compte d'un journal local. Rien qui corresponde au reste du contenu comme au style du journal.

Qui ? L'archéologue cambodgienne ? Je ne lui ai rien dit de ces intuitions, et elle ignorait que je devais accorder cette interview. Personne n'était au courant, hormis le professeur Lao Pam Bang qui m'a invité dans son université et a organisé la rencontre avec le journaliste. Qui a eu le front d'annuler la conférence en se faisant passer pour moi ?

En y regardant de plus près, je remarque, sous la photo du temple de Pré Rup, quelques lignes que je n'avais pas encore déchiffrées :

« Le professeur Seigner a annulé la conférence qu'il devait donner à l'université de Phnom Penh devant tout le corps enseignant du département de mathématiques, du département d'archéologie et du département d'ethnologie. Un dîner devait suivre avec le ministre de l'Enseignement supérieur et son épouse. Le professeur Seigner a dû annuler cette conférence en raison de l'état de santé de son fils, hospitalisé à Lyon, en France. »

C'est à devenir fou. Seraient-ce mes obsessions qui dérapent et me font délirer ? À moins que mes visions ne soient plus seulement...

Je suis terrifié. Je croyais avoir maîtrisé mon... Jusqu'où cela peut-il encore aller ?

Je rappelle Che. Toujours pas de réponse.

J'appelle l'université de Phnom Penh et demande à parler au professeur Bang. Une assistante me répond qu'il est à l'étranger depuis dix jours et ne reviendra que demain pour accueillir un visiteur étranger.

Je rappelle mon fils. Il ne répond toujours pas. En France, il est maintenant 8 heures du matin, le 25 janvier. Ne pas en rester là. En avoir le cœur net. Je trouve sur Google le numéro de l'École supérieure d'ébénisterie au Thor. Je demande le directeur. Personne ne va sans doute décrocher à cette heure un dimanche... Une secrétaire répond :

– Monsieur Seigner ? Vous faites bien d'appeler. Nous cherchions à vous joindre. Ne quittez surtout pas.

Une musique d'attente, sirupeuse, à mettre les nerfs à vif. Ils cherchent à me joindre depuis hier soir ? Pourquoi ? Qu'est-il arrivé ? Che a eu un accident ! L'article disait donc vrai ? Pas mon fils, après ma fille ! Je hurle :

– Allô ! Allô ! Répondez !

La musique s'interrompt. Une voix d'homme parle vite, sans me laisser placer un mot, comme pour se débarrasser d'une corvée :

– Monsieur Seigner ? Je suis monsieur Carlotta, Antoine Carlotta, le directeur de l'École supérieure d'ébénisterie. J'aurais préféré faire votre connaissance en d'autres circonstances. Nous aurions d'ailleurs dû nous rencontrer quand votre fils a été admis chez nous, mais vous n'aviez malheureusement pas pu venir au rendez-vous.

– Oui, oui. Dites ! Que se passe-t-il ?

– Votre fils a été hospitalisé ce matin...

– Hospitalisé ? Que s'est-il passé ? Où est-il ?

– À Lyon, à l'hôpital Édouard-Herriot.

Che est hospitalisé à Lyon depuis ce matin ? Comme le dit un article rédigé hier au Cambodge... ? Absurde.

J'essaie de garder mon calme :

– Il souffre de quoi ?

– Rien de grave. Il est au service des urgences. On a averti sa mère, madame... Tina Qureishi, ex-Seigner. C'est bien le nom de sa mère, n'est-ce pas ? Elle est en route pour l'hôpital...

– Mais qu'est-il arrivé à mon fils ?

– Rien de très sérieux, je vous rassure, monsieur Seigner. Et notre école n'y est pour rien ! Enfin... ce serait bien si vous pouviez venir le voir au plus tôt.

CHAPITRE 5

Hôpital Édouard-Herriot

J'appelle Tina à Londres, où elle doit se trouver en cette matinée du 25 janvier. Plus de trois mois que nous ne nous sommes pas parlé. Son téléphone sonne interminablement. La sonnerie n'est pas celle, si caractéristique, des appels reçus en Grande-Bretagne ; comme si ce pays tenait à ce qu'on sache que le correspondant qu'on cherche à joindre séjourne bien sur son territoire.

Pourquoi ne répond-elle pas ? Est-elle déjà en France ? Son répondeur se déclenche. Sa voix. J'en tremble... Sa voix si particulière, à la fois douce et vibrante, qui m'a séduit dès notre première rencontre aux obsèques de mon grand-père, en août 1994, dans le carré juif du cimetière Montmartre. Pourquoi se tenait-elle parmi tous les inconnus que j'ai vus surgir ce jour-là ? Pour la plupart des gens très âgés, regroupés autour d'un des leurs qui paraissait être leur chef, se tenant par le bras comme un clan très soudé.

Et puis elle, qui semblait ne connaître personne. Quand elle s'est approchée de moi pour me dire : « Votre grand-père était un homme merveilleux ; il vous aimait beaucoup », je n'ai retenu que le timbre de sa voix. Puis j'ai cherché à élucider le lien qui pouvait unir ce jeune mannequin roumain au vieux médecin russe, ex-conseiller de Staline, devenu antiquaire à Paris ; elle inventait chaque fois une nouvelle réponse. Jusqu'à ce que je comprenne qu'Igor, son aîné de soixante-huit ans, l'invitait souvent au restaurant, à la fin de sa vie, et lui racontait ses aventures. Sans doute en sait-elle plus long sur lui que moi, à qui il avait toujours refusé de parler de la Russie. Mais elle n'a jamais rien voulu me dire de leurs conversations.

Depuis cet après-midi ensoleillé dans le cimetière Montmartre, il y a vingt ans, Tina a tout décidé entre nous : de notre première nuit d'amour, de me demander en mariage, de me suivre à Princeton en abandonnant une carrière devenue internationale, d'avoir des enfants. De me quitter, juste après la mort de notre fille. J'ai laissé faire, comme en spectateur de ma vie privée. Pourquoi suis-je si déterminé quand il s'agit de mes options de travail et si passif dans mes relations avec les femmes ? Je devrais pourtant savoir que ce n'est pas en se laissant porter par le désir d'autrui qu'on peut être heureux…

Quelle expression avait employée Yse, déjà, l'autre soir, à deux reprises ? « Notre vie, disent-ils. » Oui, ne pas laisser notre vie n'être que ce que les autres décident. Yse, dont je ne peux me défaire. Ne rien recommencer…

Je ne laisse pas de message sur le répondeur de Tina. Elle me rappelle cinq minutes plus tard. J'entends comme un grondement autour d'elle. Elle chuchote :

– Je ne pouvais pas te répondre. Je suis dans le train. J'ai dû m'isoler.

– Dans le train ? ! Pour où ?

– Je viens de monter dans l'Eurostar, en route pour Lyon. J'y serai dans quatre heures.

– Tu sais ce qui est arrivé à notre fils ?

– Tôt ce matin, il a avalé des barbituriques chez un ami, à Lyon, où il passait le week-end. Cet ami a donné l'alerte et prévenu son école. Il a été transporté au service des urgences, à l'hôpital Édouard-Herriot.

– Comment sais-tu tout cela ?

– Son école m'a appelée.

– Toi ? Ils t'ont appelée, toi ? !

Je hurle :

– Pourquoi ne m'as-tu pas prévenu dès que tu as su ?

– J'étais convaincue qu'ils t'auraient appelé, toi aussi. Ce n'est pas ma faute si tu laisses ton fils sans nouvelles et si tu n'es jamais joignable !

Comment ose-t-elle ? Elle qui nous a abandonnés, Che et moi, pour son joueur de cricket !

Je raccroche.

Che, si fragile depuis la mort de sa sœur. Un chagrin a dû le terrasser. J'aurais dû deviner. Je connais si bien cela. Cette détresse qui vous tombe dessus par surprise et vous emporte. Une douleur qui vous force à crier des heures durant... Tina a raison. Tout cela est ma faute. Je ne suis pas facile à joindre. Et Che... Je ne me suis pas occupé de lui autant que j'aurais dû. Je ne me souviens pas même d'un seul week-end passé avec lui depuis au moins cinq ans. Ni même d'une vraie conversation entre nous. Trop de travail... Puis ce départ avec Tina et nos enfants pour Princeton quand sa sœur et lui avaient onze ans. Mais comment aurais-je pu refuser un poste à l'Institute for Advanced Study auprès de Larry Snower ? J'aurais dû ne pas y rester après la mort de She. J'aurais dû au moins revenir à Paris quand mon fils a décidé de partir étudier au Thor...

Comment n'ai-je pas pu deviner, à son dernier coup de fil, qu'il me demandait d'accourir... Qu'est-ce qui a pu l'inciter à pareil geste ? Quelle douleur ? Quelqu'un l'aurait quitté ? Oui, sûrement... Est-il si vulnérable au chagrin d'amour ? C'est bien la dernière chose dont j'aurais aimé qu'il hérite de moi...

Le rejoindre tout de suite. Rentrer en France.

Je quitte l'hôtel sur-le-champ et me précipite à l'aéroport d'Angkor. Je n'aurai donc pas découvert si ces temples recèlent des images fractales. Et moins encore l'indice d'une théorie ou d'une pratique de la prémonition... C'était bien l'essentiel de ce que j'étais venu chercher... Pas eu le temps d'aller suffisamment loin. Larry en sera déçu. Tant pis.

Je dois donc aussi annuler la conférence prévue dans deux jours à Phnom Penh. Comme cela a été annoncé par l'article paru dans l'*Angkor Times*. Qui a bien pu faire savoir à un journal cambodgien que je rentrerais en France « en raison de la santé de mon fils », vingt-quatre heures avant même qu'il ne tente de se suicider ? À moins que Che lui-même n'ait inspiré cet article comme un ultime appel au secours... ? Mais il ne pouvait rédiger aussi l'interview. Il n'en a évidemment pas la compétence. Alors, qui ?

Depuis la voiture, j'appelle le professeur Lao Pam Bang à Phnom Penh. Il est dans l'avion, pas encore rentré d'Amérique, me dit une assistante. Voilà qui m'évite de trop longues explications. S'il lit l'article, il pensera que j'ai informé un journaliste que j'annulais ma conférence avant même de le faire prévenir. Il en sera, à juste titre, extrêmement fâché... J'envoie aussi un mail à Larry pour lui dire que je ne viendrai pas tout de suite à Princeton. Il est comme le parrain de Che. Je ne lui confie pas tout : il est trop malade pour qu'on l'inquiète davantage.

Je prends le premier avion pour Bangkok : trois heures de vol. Puis quatre heures d'escale. Puis encore huit heures de vol avant d'atteindre Paris. J'essaie de dormir. En vain. Pour m'occuper l'esprit, je travaille à mon exposé à venir. Il faudra bien que j'explicite à quoi mes théories, si folles soient-elles, me conduisent.

Quand je l'ai rencontré pour la première fois à Princeton, il y a maintenant vingt ans, Larry m'a dit, citant Niels Bohr : « N'oublie pas : une théorie n'est en général pas assez folle pour avoir la moindre chance d'être vraie. » On ne pourra pas prétendre que celle-ci ne l'est pas : ressusciter les vieux savoirs mathématiques, ce que je nomme l'« ethnomathématique », tout comme on a fait renaître la médecine chinoise ; cela peut déboucher sur des découvertes majeures, non seulement en urbanisme, mais aussi dans les théories du temps. Par exemple, le voyage dans le temps, que les théories modernes commencent à conceptualiser et que certains, parmi les sages africains et les chamans d'Asie, disent pratiquer depuis longtemps. De même la distinction entre le temps et l'interaction des événements qui le structurent (« Le temps n'est rien d'autre que les événements qui s'y déroulent », avais-je expliqué à Yse). De même encore la distinction entre prescience passive et active, entre celle qui permet de connaître l'avenir et celle qui rend possible d'influer sur lui. Distinction qu'on rencontre dans de nombreuses civilisations et telle qu'on la retrouve aussi dans les théories les plus modernes : pour le modifier, disent les sagesses anciennes, il faudrait s'immiscer en lui, traiter le futur comme le passé : en le pénétrant. Aller plus loin dans cette ethnomathématique permettra peut-être d'en savoir beaucoup plus long sur l'avenir et sur la possibilité de le manipuler. Voilà une partie du programme de travail que j'entends proposer à l'université de Princeton. Me fournira-t-elle les moyens de le mener à bien ?

Je referme mon ordinateur et compulse les journaux que m'a tendus l'hôtesse. La situation mondiale se dégrade. Les Américains exigent maintenant le retrait du porte-avions chinois présent en mer de Chine. À Londres, l'attentat de la City a finalement fait 253 morts. C'est un *trader* turc d'origine kurde qui a déposé la bombe sous son bureau avant de quitter l'immeuble. À New York, les dirigeants du G20 ne sont même pas parvenus à rédiger un communiqué commun. De peur d'un effondrement des cours, leurs banques centrales décident de relâcher toutes les contraintes, comme en 2008. Au Kurdistan syrien, les troupes turques avancent. Sur le site du *Washington Post*, une photo montre Mark Diffenthaler, secrétaire général adjoint en charge de la région, en pleine conversation à Genève avec le secrétaire d'État américain John Kerry. Dans le *New York Times*, le professeur Krugman explique que les États-Unis pourraient une nouvelle fois entrer en guerre pour sortir d'une crise économique ; il plaide pour l'isolationnisme.

Beaucoup de secousses dans ce vol. Voilà que mes visions se déclenchent. Je vois les passagers et les hôtesses comme des cadavres. Des morts. Beaucoup de morts. Et maintenant parfois des soldats. Je n'en distingue pas les uniformes. Je n'entends aucune voix distincte. Nul besoin d'être grand clerc pour deviner que ces visions sont une manifestation de ce que je pressens de la suite des événements. La « prescience » n'est-elle qu'une cristallisation de conjectures ? Je note la formule pour m'en servir dans mon exposé de Princeton. Échapper à ces visions. Pour cela, compter, compter les sièges de l'avion, les hublots, inventer des énigmes. Manger, mastiquer lentement en comptant les bouchées.

Si j'étais au moins capable de prévoir l'avenir de Che, d'agir sur son avenir. Pas lui, après sa sœur... Je me surprends à prier... N'est-ce pas là le comble du renoncement ?

À l'arrivée à Paris, le calme est revenu en moi ; deux heures d'attente à la gare TGV de Roissy. J'appelle l'hôpital lyonnais. Che va de mieux en mieux, me disent des voix anonymes qui se veulent rassurantes. Il s'en tirera.

Vais-je me mettre à croire ? Ah non, pas moi !

Une fois dans le TGV, à 11 heures, en cette matinée du 26 janvier, j'appelle Tina. Elle est encore sur répondeur. Je laisse un message lui demandant de m'attendre vers 13 h 15 à l'entrée des urgences de l'hôpital.

Pendant la traversée de la Bourgogne, immuable et sereine, je regarde les passagers absorbés dans la lecture de leurs journaux. Les gros titres se répètent en boucle : « L'attentat de Londres provoque une crise financière majeure », « Échec du G20 à New York », « Londres, Kurdistan,

Senkaku : le triangle infernal ». L'attentat de la City semble maintenant revendiqué par un nouveau mouvement « pour l'unité du peuple kurde » qui dénonce la « collusion des grandes puissances, des compagnies pétrolières et des régimes totalitaires occupant le Kurdistan ». En France, l'extrême droite réclame l'expulsion sans délai de tous les ressortissants kurdes. À Pékin, le président chinois déclare à nouveau qu'il ne laissera pas sans riposte les provocations japonaises. Pourquoi pensé-je encore que le pire viendra de la Russie, qui n'est pourtant pas mêlée à ce qui se passe au Kurdistan non plus qu'en mer de Chine ?

À 13 heures, ce 26 janvier, mon train entre en gare de Lyon-Part-Dieu. Je fonce vers un taxi. Le chauffeur m'indique qu'en dix minutes nous serons à l'hôpital Édouard-Herriot, puis il me parle de la situation en Asie. Lui-même est vietnamien et me demande si je crois que son pays d'origine va se trouver entraîné dans la guerre. Il semble détester les Chinois encore plus que les Japonais. Pour ne pas trop penser, j'enregistre mentalement l'itinéraire qu'il emprunte : avenue Georges-Pompidou, boulevard Vivier-Merle, rue Paul-Bert, avenue Lacassagne, rue du Professeur-Florence, place d'Arsonval… C'est là.

Une fois à l'hôpital, je me précipite aux urgences. Impossible d'accéder à l'accueil. Trop de gens, trop de cris. Une jeune femme aux cheveux raides et luisants, les pieds nus, affublée d'une longue robe noire maculée de sang, hurle, avec un accent indéfinissable, que son mari va mourir et que le diable l'a déjà pris ; une petite fille en pleurs s'accroche à elle, essayant en vain de la calmer. Quand je peux enfin accéder à la réception, personne ne semble en mesure de me dire dans quel service se trouve Che Seigner. Une panne d'informatique...

Et Tina ? Elle devrait être là ! Je l'appelle. Encore sur répondeur. Est-elle au chevet de Che ? Elle n'est quand même pas déjà repartie ? Après quinze minutes interminables, on m'oriente vers le service de réanimation, au premier sous-sol, où Che se trouvait, semble-t-il, hier encore. Là, j'apprends qu'il n'y est plus et qu'on ignore où il est hébergé à présent.

Un jeune médecin, petit, presque obèse, vêtu de la blouse verte des internes, vient à moi et m'entraîne du geste vers un long couloir qui nous conduit à un bureau exigu. Son nom écrit sur sa blouse : « Pierre Aoun ». Un Libanais. Il me regarde, la mine à la fois attentive et impénétrable. Une table, deux chaises. Des tableaux de service affichés aux murs. J'ai peur de ce qu'il va m'apprendre. D'une voix à l'accent chantant, il m'explique qu'il est interne en réanimation et que c'est lui qui s'est occupé de Che à son arrivée.

– Votre fils est sorti d'affaire, chuchote-t-il d'une voix si faible que j'ai peine à l'entendre ; vous allez pouvoir le voir. Nous lui avons fait un lavage d'estomac et il s'est remis assez vite. Ce n'étaient que des barbituriques. On s'y est pris à temps, heureusement, car il avait mis la dose ! Il ne devrait y avoir aucune séquelle. Il semble finalement habité par un grand désir de vivre. Nous connaissons cela : bien des gens se suicident juste pour se prouver à eux-mêmes qu'ils sont vivants.

– Où est-il ?

– Dans mon service, pour quelques heures encore. Il devra rester une petite huitaine de jours à l'hôpital. Mais tout ira bien.

– Vous avez vu sa mère ?

– Elle est passée ici hier avec un monsieur. Elle est repartie dès qu'elle a su votre fils tiré d'affaire... Elle était attendue à Londres, a précisé l'homme qui l'accompagnait, ajoute l'interne en baissant les yeux, gêné d'être mêlé à ces histoires de famille.

Ma réponse fuse :

– Ne vous inquiétez pas. Ma femme et moi sommes redevenus amis, ce que nous n'aurions sans doute jamais dû cesser d'être.

Je m'en veux d'avoir lâché cela. Pourquoi une telle confidence à cet inconnu ? Cette plaisanterie qui pourrait lui donner à croire que nos enfants n'étaient pas désirés. Lui parler de She et de sa mort mystérieuse, dans son sommeil ? Tina est venue avec son joueur de cricket ? elle est repartie ? elle n'a même pas pris la peine d'attendre le réveil de son fils ? Voilà qui paraît incroyable...

Sans répondre, le médecin m'entraîne vers un ascenseur réservé au personnel hospitalier. Deuxième étage ; une grande salle obscure, tout en longueur, sans fenêtre, bourrée d'appareils qui clignotent. Dans la pénombre je dénombre, onze lits tous occupés par des patients entubés, endormis. Je ne distingue pas Che parmi eux… Le praticien avance tout en chuchotant comme s'il avait peur de les réveiller.

– Il n'est plus là ? Ah oui… Ils ont dû le déplacer.

Au bout de la pièce, il ouvre une porte, emprunte un nouveau couloir aux parois blanc laqué, inondé d'une lumière aveuglante. Au fond, une autre porte, qui ne s'ouvre qu'avec le badge du médecin et donne accès à une autre chambre plongée dans le noir. Un seul lit. Che y gît, les yeux grands ouverts. L'interne allume une petite lampe. Le visage de mon fils est diaphane, amaigri, méconnaissable. Il me sourit et tente en vain de se soulever. Ses cheveux blonds ramassés sous une charlotte le font plus que jamais ressembler à sa mère.

Le médecin marmonne :

– Vous avez dix minutes. Pas une de plus, vraiment.

Quels mots prononcer ?

– Bonjour, Che… Tu te sens mieux ?

Long silence. Puis il essaie de répondre, humecte ses lèvres et articule :

– Pardonne-moi, je n'aurais pas dû…

Sa voix est elle aussi méconnaissable. Il reprend :
– Tout va bien, ne t'inquiète pas.
– Pourquoi as-tu fait ça ? Tu as tout pour être heureux...
Son visage se ferme. Je n'aurais pas dû dire ça. Quel idiot je fais.
Ses traits se tendent, sa voix devient âpre :
– Ah, tiens ? J'ai quoi ? Pas d'amis. Des études minables. Une sœur qui m'a abandonné sans me dire au revoir. Une mère qui, depuis mes douze ans, m'a préféré des amours de passage et n'est même pas là à mon réveil. Un père que j'adore, qui m'envoie de longs messages d'affection, mais qui ne me voit jamais plus et ne m'appelle que pour me parler de lui.
– Comment peux-tu dire ça ?
– Depuis combien de temps je ne t'ai pas vu ? Trois mois et quatre jours ! Et maman, depuis quand ? Plus d'un an ! Depuis mes six ans, She et moi, on était vos parents à tous les deux. Et, si tu veux savoir, mon rêve d'enfant était d'imaginer que vous grandiriez assez vite pour que je puisse enfin devenir un vrai petit garçon.
– N'importe quoi ! Tu exagères !
– J'exagère ? Écoute, papa. Tu es un grand savant. Je t'admire. Mais tu es comme cet autre prof de maths qui aimait tant les enfants, celui qui a écrit *Alice*... Comment s'appelle-t-il, déjà ? Tu m'as raconté l'histoire quand j'étais petit...
Pourquoi parle-t-il à présent de Lewis Carroll ? Sait-il qu'il est l'auteur préféré de Larry ? et

qu'il a travaillé, lui aussi, sur le temps ? Sait-il qu'il souffrait, comme moi, d'obsessions, et que toute son œuvre en porte la trace ? Sait-il que, dans *De l'autre côté du miroir*, ce livre dont je ne lui ai jamais soufflé mot, Carroll décrit un monde où le temps est inversé : on souffre d'abord, on se blesse ensuite ; il faut s'éloigner du but pour l'atteindre. Comme dans les fractales... comme dans... Tiens, comme dans le manga d'Yse. Rebrousser chemin dans le temps pour...

Autre idée pour mon exposé : revenir en arrière pour réparer l'avenir. À noter. C'est peut-être cela qu'Yse voulait me faire comprendre ?

Je réponds aussi calmement que possible :

– Pourquoi me parles-tu de Lewis Carroll ?

– Voilà : Carroll, c'est bien son nom. Celui qui aimait les enfants, avec qui il correspondait davantage qu'avec des gens qu'il côtoyait. Toi, c'est pareil. Tu n'aimes que m'écrire. Tu ne m'écoutes pas quand je te parle de moi. Je t'aime, tu sais. Mais c'est fatigant de devoir te porter. Tu ne peux pas décider un peu, de temps en temps ? Décider sans attendre que les autres décident pour toi ?

Je ne relève pas, esquive :

– Tu n'as pas essayé de te... faire du mal juste à cause de la mort de ta sœur ou de la séparation de tes parents ? Que s'est-il passé ? Un chagrin d'amour ?

– Parce que tu sais, toi, ce que c'est, un chagrin d'amour ? que d'être emporté par lui jusqu'à en mourir ? jusqu'à vouloir mourir ? Moi, je sais !

Il a donc oublié ce que j'ai enduré au départ de sa mère ? Mais je serais le dernier à lui en faire grief. Combien de fois, après la mort de She et le départ de Tina, ne me suis-je pas répété : « Ne rien montrer à Che, ne rien lui laisser paraître », « Ne pas faire de bêtises ». Jusqu'à mettre hors de portée le fusil de mon grand-père que j'avais gardé...

Je réponds :

– Il est question de toi, pas de moi. C'est décidé : je vais m'occuper de toi, maintenant.

Il se dresse sur ses coudes.

– Tu sais bien que tu n'en feras rien ! Ne promets pas ce que tu ne peux tenir. Ce n'est d'ailleurs pas ça que je te demande. Juste de m'écouter quand tu es là. De m'écouter vraiment ! De ne pas consulter ton téléphone pour y lire tes messages en faisant semblant de t'intéresser à ce que je dis. C'est ce que tu rêves de faire en ce moment, n'est-ce pas ?

– Mais non, pas du tout !

Il a raison. De plus en plus souvent, quand les crises se déclenchent et que je vois mes interlocuteurs transformés en cadavres, les corps entassés, les soldats qui tirent, cette menace qui se confirme chaque jour davantage, je suis pris de TOC, comme par autodéfense : je compte tout et n'importe quoi, ou je consulte fébrilement mon mobile. D'abord mes messages, puis les informations sur le fil Twitter. Tout est bon pour chasser mes hallucinations. Comment le lui faire comprendre ? Lui expliquer que je pressens une guerre encore pire que toutes celles qui ont déjà eu lieu ? Un massacre de masse d'un genre nouveau. Impossible...

Je hasarde :

– Pourquoi, pourquoi as-tu fait cela ? Par amour, vraiment ?

Il hésite, puis se laisse aller :

– Oui... Pas seulement. Plus aucune raison de vivre.

Je me risque encore :

– Ne dis pas ça. Tu as un père qui t'aime et une mère aussi, à sa façon ; tu as plein d'amis. Tu as la chance d'apprendre le métier que tu as choisi, tout petit. Je me souviens...

– N'invente pas de souvenirs. C'est un blasphème ! On ne peut pas se construire un avenir en réinventant le passé.

Pourquoi cette phrase me touche-t-elle autant ? « Construire un avenir en réinventant le passé » : exactement ce à quoi est censée conduire ma théorie...

Il continue :

– Tu ne peux pas te souvenir de ça, parce que ça n'est pas vrai. Quand j'étais petit, je voulais devenir un petit garçon, rien d'autre. Pour rire avec mes copains, écouter des histoires inventées rien que pour moi... Mon apprentissage ? Parlons-en ! Ébéniste : j'ai peut-être rêvé, un temps, d'en faire mon métier, mais je ne l'aime déjà plus avant même de l'avoir exercé ! Ma vie est déjà... Comment disait ton grand-père quand il évoquait la sienne ? « Noyée dans une indéfinissable inanité... »

– Mon grand-père ? Pourquoi parles-tu de lui ? D'où tiens-tu cette phrase ? Tu ne l'as même pas connu ! Il est mort trois ans avant ta naissance !

– J'ai toujours eu l'impression qu'il a été la seule personne au monde à avoir jamais compté vraiment pour toi. Ce n'est pas vrai ?

Il a sans doute raison. Igor... Sa force, son aura ont laissé en moi une trace indélébile. Comme j'aurais aimé être capable, comme lui, de changer de vie, d'imposer aux autres ma propre conception de mon avenir. Je réponds :

– Tu as hérité de son caractère : il était sévère avec tout le monde et ne s'aimait guère lui-même. C'est peut-être pour cela qu'il était si maître de son destin... Ce n'est pas le mieux de ce que tu aurais pu hériter de lui.

– Maman, elle, l'adorait, en tout cas...

Tina ? Il est vrai qu'elle connaissait Igor, bien avant notre rencontre. À moi, elle n'a rien dit ; je n'ai jamais rien su de leurs conversations.

– C'est ta mère qui t'a rapporté cette formule de mon grand-père, l'« indéfinissable inanité » ? Elle t'a parlé de ses relations avec lui ?

Che va répondre quand le médecin frappe à la porte vitrée. Je feins de ne pas entendre. Che balbutie, comme gêné d'avoir à mentir :

– Non, jamais... Enfin... Dis-moi, tu ne devais pas être encore au Cambodge ?

– Je suis revenu dès que j'ai su... Que t'a-t-elle dit, ta mère, sur ton arrière-grand-père ?

– Rien ! Vraiment rien. Pourquoi ces questions ? Que faisais-tu au Cambodge ? En voyage avec une nouvelle conquête ? Une comédienne ? Tu aimes tant les comédiennes !

– J'y suis allé seul... Tu aurais aimé venir ? Tu aurais dû me le dire... Dis-moi : est-ce pour ça que tu t'es débrouillé pour faire publier là-bas cet article et cette fausse interview ?

Il semble sincèrement interloqué :

– Quel article ? quelle interview ? De quoi parles-tu ?

– Du journal annonçant que j'ai dû quitter précipitamment Angkor en raison... de ton état de santé !

Je lui montre l'article, découpé, dont je ne me sépare plus. Il le parcourt, puis me dévisage, stupéfait.

– Tu as sûrement accordé cette interview ! Personne ne peut parler d'un tel sujet comme tu le fais ! Tu ne perdrais pas la mémoire ? Tu travailles trop !

J'hésite. Après tout, peut-être aurais-je oublié... Mes visions me conduiraient à cela ? Je deviendrais amnésique ? Ce serait horrible. Mais non ! J'enrage même d'y avoir pensé.

– Non, je ne suis pas atteint par la maladie d'Alzheimer.

– Je n'ai pas dit cela.

– Je n'ai pas accordé cette interview. Tiens, je devais la donner aujourd'hui même, et j'ai annulé quand j'ai appris ton… Je me suis même demandé si l'on n'avait pas repris une vieille interview que j'aurais accordée ailleurs, mais non. Impossible : l'article fait état d'hypothèses qui me sont venues sur place, mais que j'ai écartées et dont je n'avais soufflé mot à personne. Tu te rends compte ? Je ne suis pas fou. C'est comme si quelqu'un avait lu dans mes pensées ! Et puis on y parle de toi, on précise que j'ai dû revenir à cause de ton état de santé. Même si je ne me souvenais pas d'avoir donné cette interview, personne ne pouvait savoir que tu allais… L'article a été rédigé avant même que tu… Toi seul étais au courant de… Non ?

Un silence pesant s'installe. Il me fixe intensément.

– Je n'ai décidé d'avaler ces pilules qu'à 3 heures du matin, hier, sur un coup de tête ! Et je n'aurais pas pu écrire cette interview ! Ôte-toi cette idée de la tête ! Même si l'idée et l'intention m'en étaient venues, encore aurait-il fallu que je comprenne quelque chose à tes mathématiques, et même que je puisse entrer dans ta boîte mail !

– Oh, ce n'est pas un problème : une boîte mail se pirate ou se fabrique. Tu aurais pu en créer une à mon nom, ce qui ne les aurait pas inquiétés. Tu aurais même pu leur dire que j'étais chez toi, que tu étais malade, que j'étais à tes côtés et que j'écrivais à partir de ta boîte mail ! Tu as bien toujours cette adresse : che@seigner.com ? Tout le monde aurait marché.

– Ça n'a aucun sens. Tu me vois en train de faire ça ? Pour quelle raison ? Au reste, je n'utilise jamais cette adresse, tu le sais bien. Même pas pour t'écrire ! À l'école, je suis inscrit sous le nom de jeune fille de maman, Mirescu. Tu me vois appeler un journal cambodgien pour leur annoncer que je vais avaler des barbituriques ? ! Il te faut chercher ailleurs. Sans doute dans ta propre mémoire. Si ça se trouve, tu as utilisé cet horrible prétexte pour annuler cette conférence, sans savoir que ton prétexte deviendrait réalité.

De l'autre côté de la porte vitrée, le médecin fait à nouveau signe qu'il est temps de laisser le patient se reposer.

– Tu me crois capable de cela ? ! Je te laisse. Nous en reparlerons. Je vais rester à Lyon quelques jours, à attendre que tu ailles mieux.

Il hausse les épaules, l'air renfrogné :

– Tu sais bien que tu ne le feras pas.

– Tu verras. Je resterai à Lyon aussi longtemps que tu voudras de moi, et je viendrai te voir tous les jours. Le reste peut attendre.

Il me regarde, incrédule, sourit, me tend la main. Nous demeurons encore un moment silencieux l'un en face de l'autre. Je sens qu'il me transmet de son énergie. Comment est-ce possible, alors qu'il en a si peu pour lui-même ?

CHAPITRE 6

Lyon

Lundi 26 janvier au soir.

En quittant l'hôpital Édouard-Herriot, je réserve, pour au moins une semaine, une suite à la villa Caroline, un ancien couvent du XVIIe siècle transformé en palace discret, assez proche de l'établissement de soins.

Je ne suis attendu à Princeton que le 12 février. Je peux donc rester un peu ici. J'appelle Larry pour l'informer que je vais séjourner au moins une semaine en France. Il semble déçu. Je comprends qu'il a envie de m'aider à finaliser mon exposé. Je préfère m'en charger seul. Après tout, huit ou dix jours de tranquillité ne seront pas du luxe pour mettre au point ce que je veux vraiment exprimer. Pas pour répéter ce que Larry voudrait que je dise. Certes, je lui suis redevable de mon intérêt pour l'ethnomathématique. Mais c'est mon programme de travail à moi, pour un département que je dirigerai, moi, au sein de la faculté.

Plus que dix jours. Ah, j'avais oublié, il y a aussi ce week-end à Rome promis à Evlyn ! Quand, déjà ? Les 7 et 8 février. Impossible d'y aller. Je serai à Lyon ou à Princeton. Il faudra bien sûr que je pense à l'annuler.

J'aime bien l'idée de faire halte ainsi. Enfin, me poser. Il me faudra acheter quelques vêtements. Je m'allonge sur le lit de l'immense chambre. Un besoin nouveau surgit : j'ai soudain envie de musique.

La musique ? Étrange retour... Elle qui m'a si longtemps accompagnée dans mon enfance et que j'ai chassée de ma vie depuis... depuis quand, au juste ? Vingt ans, semble-t-il.

Sans hésiter ni vraiment choisir, comme un affamé qui se rue sur une nourriture dont il a été longtemps privé, je me lève et télécharge sur mon téléphone les quatre derniers quatuors de Beethoven, les ouvertures des *Puritains* de Bellini et de *Luisa Miller* de Verdi, la fin du *Chevalier à la Rose* et les *Métamorphoses* de Strauss. Je ne sais le pourquoi de ces choix.

Dans la soirée, seul à l'hôtel, je les écoute en boucle pendant des heures. Ils me reviennent à la mémoire comme de très vieilles connaissances. C'est déjà si extraordinaire, au bout de tant d'années, d'y revenir...

Le lendemain et les jours suivants, je passe tous mes après-midi à l'hôpital avec Che. Il se rétablit vite. Nous ne parlons plus de sa tentative de suicide. Rien ne vaut la convalescence des sentiments, les retrouvailles avec parents, amis, amoureux un temps éloignés. Nous plaisantons même avec tendresse à propos de sa sœur ; et avec indulgence à propos de sa mère. Comme si l'on pouvait rattraper le temps perdu, comme si l'on pouvait, ainsi que disait Lewis Carroll, remonter le fleuve du temps, partir des conséquences pour revenir aux causes.

Nous ne parlons pas non plus de l'énigme de l'article paru à Phnom Penh. Insoluble. J'ai beau faire défiler cette histoire dans ma tête, je ne parviens pas à lui trouver la moindre explication plausible.

Je passe mes matinées et mes soirées à préparer cette présentation devant le conseil de l'université. Je reprends mes notes : j'entends démontrer que, au-delà des fractales et des pratiques divinatoires, les Anciens savaient aussi théoriser le temps ; en particulier, les formes africaines de divination ont permis à certaines pensées magiques d'accéder à un savoir très proche des théories contemporaines les plus avancées sur le temps.

Le soir, je lis mes messages sans répondre à aucun. Une cure de silence. D'innombrables appels d'Evlyn depuis Lausanne. Elle me reparle de notre voyage en Italie, me donne rendez-vous à Cointrin le samedi 7 février. Elle a, dit-elle, réservé les billets d'avion pour Rome, et l'hôtel. Voilà qui est ennuyeux. J'aurais dû annuler depuis longtemps... Après tout, je pourrais peut-être y aller quand même, au moins une journée, avant de repartir pour New York. On verra. Ça dépendra de l'état de Che, le moment venu.

Yse ne m'écrit pas, ne m'appelle pas. Pas un jour ne passe sans que je pense à elle. Elle me manque. C'est absurde. Est-ce le fait qu'elle m'interdise de l'appeler qui crée ce manque ? Quand elle aura besoin de moi, m'a-t-elle dit, elle me fera signe. Elle a parlé de prescience... L'est-elle, « presciente » ? Que sait-elle au juste de ce que je cherche ? Que connaît-elle de mes visions ? Elle a beau me fasciner, je ne tiens pas à me lancer dans une nouvelle aventure. Je refuse qu'elle m'aide à en finir avec Evlyn. Pas envie d'être amoureux, de souffrir encore. Me garder d'elle... Et puis l'interview... Après tout, elle figure sur la liste des suspects ! Je lui en ai assez dit pour qu'elle ait pu le faire...

L'attentat commis à Londres il y a trois jours a semé une panique boursière qui contraint la Banque centrale américaine à mettre fin à ses velléités de ralentissement de la création monétaire. Le 29 janvier, les troupes turques, massées à Erbil, capitale de leur Kurdistan, déclarent avoir un droit de regard sur la situation en Irak et en Syrie. Le lendemain, le secrétaire général des Nations unies, sans son adjoint spécialisé, Mark Diffenthaler, resté à Genève, entame une tournée des pays de la région. En mer de Chine, le Japon tire un missile de semonce. Pékin proteste et mobilise. Le lendemain, la Corée du Nord en fait autant. Même si personne ne semble vouloir le voir, même si les experts entendus à la télévision se veulent rassurants, je suis convaincu que le monde court à la guerre. Mes visions, tous ces morts, ces soldats qui font feu, l'annoncent.

Le 30 janvier, la crise financière s'aggrave, surtout sur le Vieux Continent. Les Européens déclarent que, même si le Traité sur l'union bancaire qui vient d'être ratifié ne le permet pas, ils demanderont à la Banque centrale d'intervenir pour soutenir tout établissement bancaire en péril. La Turquie menace de détourner le cours des fleuves qui irriguent l'Irak et la Syrie, et concentre ses troupes aux frontières des Kurdistan irakien et syrien. Les Kazakhs et les Russes annoncent qu'ils ne laisseront pas faire. Les Indiens se disent solidaires de Moscou. Les Pakistanais préviennent qu'ils empêcheront les Indiens d'intervenir. Quoique occupé en mer de Chine, Pékin convoque les ambassadeurs des pays concernés et leur fait savoir qu'il ne permettra pas que cette zone du Moyen-Orient et d'Asie centrale, si essentielle à son approvisionnement en énergie, verse dans le chaos. Les troupes chinoises et russes se massent face à face sur les deux rives du fleuve Amour. Ce que je craignais est en train d'advenir : les « conflits jumeaux », ainsi que les nomme maintenant la presse internationale, sont en train de se rejoindre comme le ferait un arc électrique. Et, ainsi que je le redoutais, cela semble devoir se focaliser en territoire russe.

Pendant ce temps, les médias français, que je regarde le soir dans ma chambre d'hôtel, ne parlent que du chômage qui continue de croître, du Front national qui prétend pouvoir remporter plusieurs victoires aux prochaines élections régionales, du nouveau parti « antisioniste » qui chasse sur les mêmes terres, du délitement des partis traditionnels, du nouvel entraîneur de l'équipe de France (un Italien parachuté d'urgence après le désastre de la Coupe du monde au Brésil), du prochain remaniement gouvernemental que le président annonce pour la mi-mars, enfin du camouflet qu'Anglais et Allemands lui ont infligé en refusant la convocation d'un Conseil européen extraordinaire pour évoquer la situation internationale et les conséquences de l'attentat de Londres.

31 janvier : Che va beaucoup mieux, il sortira bientôt de l'hôpital et s'installera « chez un ami », me dit-il, évasif. Je n'insiste pas.

Je commence à songer à repartir. Mais pour où ? Paris ? Princeton ? Rome ? Je ne sais trop…

À l'heure du déjeuner, Che est autorisé à s'absenter deux heures : nous sortons en quête d'un restaurant dans le voisinage de l'hôpital. Nous longeons le quai de Saône. Au bout de dix minutes, il fait froid, nous cherchons refuge dans une galerie commerciale. Au beau milieu de la foule, mes visions me reprennent. J'inspire profondément, me laisse tomber sur un banc. Che me regarde, inquiet :

– Qu'est-ce que tu as ? Une de tes crises ?

Je parviens à articuler :

– Je ne vois pas de quoi tu parles…

Il s'accroupit face à moi.

– Je sais ce que tu as !

– Tu ne sais rien !

– J'en sais beaucoup plus long que tu ne crois !

– Comment pourrais-tu ? Personne ne…

– On en a souvent parlé, maman et moi. Même ma sœur était au courant.

– Ta mère vous en a parlé ? De quel droit ? Elle t'a dit quoi ?

Il s'assied sur le banc à côté de moi et murmure, sur le ton de quelqu'un qui explique à un enfant pris en faute que sa bêtise n'est pas si grave :

– Tu souffres d'un trouble obsessionnel compulsif. D'un TOC. Pas n'importe lequel : tu ne t'assures pas en permanence que tes mains sont propres ; tu ne tentes pas de récapituler tous les faits et gestes de ta journée ; tu ne passes pas ton temps à réciter des listes de mots ; tu ne vérifies pas la place des meubles, tu ne ranges pas, tu ne refermes pas les portes, tu ne collectionnes rien, tu n'accumules pas, tu ne jettes pas ton argent par les fenêtres… Tu comptes. C'est bien ça, n'est-ce pas ? Tu comptes.

– Comment as-tu deviné ?

– C'était l'hypothèse de maman. Elle t'a vu compter avec tes doigts. Elle m'a même dit que cela porte un nom : l'arithmomanie. Tu es arithmomane ?

Décidément, je connais mal les femmes qui m'entourent. Tina avait donc deviné sans jamais m'en souffler mot ? Elle avait supporté mon obsession des années durant sans jamais m'interroger ?

Pourquoi les hommes ne comprennent-ils l'amour des femmes qu'après qu'elles les ont quittés ?

Che reprend :

– Mais ce n'est pas l'essentiel. Les TOC sont des réactions à des pensées négatives, pour les refouler. C'est quoi, les tiennes ?

Ne pas lui dire…

– Absurde !

– Je suis sûr que tu as parfois, comme maintenant, la vision de quelque chose que tu repousses ; et que tu as sécrété ce mécanisme – ce TOC – pour l'écarter. Quelle est cette obsession dont tu as si peur ? Laisse-moi deviner : peur des microbes ? du vertige ? peur d'avoir oublié de refermer une porte ? de te jeter sous un train ? de tomber d'une fenêtre ? d'une asymétrie ? de céder à des pulsions agressives ?

– Rien de tout cela !

– Alors, quelle est cette obsession que tu cherches à repousser en comptant ?

– Je ne te le dirai jamais. N'insiste pas.

Comment lui avouer que je vois les gens devant moi à l'état de cadavres ? que je vois des soldats leur tirer dessus ? Et que compter me permet de chasser cette vision ?

Il continue :

– Tu te vois commettre un meurtre ? Si tu ne me le dis pas, je vais imaginer le pire. Tu te vois violer She, ta propre fille, c'est ça ?

– Non ! quelle horreur ! Comment peux-tu même penser à une telle horreur ? C'est épouvantable, mais autrement. Et il est vrai que compter m'en prémunit quelque peu. Mais où es-tu allé chercher tout ça ?

– Pas compliqué : c'est écrit partout ! Tu n'es pas le seul dans ton cas : 3 % des Français souffriraient d'obsessions ; plus d'un million ont un TOC. Et c'est pareil partout dans le monde. Beaucoup se soignent en prenant des médicaments.

– Il n'y a pas de traitement pour ça.

– Ce n'est pas vrai. J'ai lu que certains médicaments sont très efficaces. J'ai cherché sur le net : on appelle ça des « inhibiteurs de recapture de la sérotonine ». Tu as essayé ?

– Te voilà bien savant ! Dis-toi que j'ai tout essayé. Les antidépresseurs...

– La psychanalyse ?

– Oui, et aussi la thérapie cognitive qui prétendait me convaincre que mes obsessions étaient normales. Et qu'il fallait que je me focalise chaque soir sur trois idées positives, pour en finir. J'ai même pensé à la chirurgie !

– Allons donc !

– La neurochirurgie : ça marche, paraît-il, dans certains cas. On sectionne une boucle entre le cortex et les ganglions de la base. Mais le risque est trop grand, m'a prévenu le chirurgien. Je n'ai pas voulu.

– N'importe quoi ! Pourquoi pas des électrochocs ?

– Ça marche aussi, paraît-il, dans certains cas parmi les plus graves. Mais, là non plus, je n'ai pas essayé. Pourquoi me demandes-tu tout cela ? Rassure-toi : ce n'est pas héréditaire.

– Ce n'est pas ça qui m'inquiète, papa. Pas du tout !

– C'est quoi, alors ?

Il se lève.

– Rien... Tu te sens mieux, on dirait ?

– Oui. Allons déjeuner.

Jamais nous n'en avions parlé. Je me sens soulagé de l'avoir fait.

Dans la soirée du lendemain 1er février, après que Che s'est décommandé (« Pardon, je ne peux pas dîner avec toi, mais on se voit demain, promis ? »), j'écoute pour la centième fois *Le Chevalier à la Rose* et je m'apprête à ouvrir au room-service quand Yse m'appelle. Enfin ! Ni sur Skype ni sur FaceTime, qui fait maintenant fureur, mais seulement au téléphone :

– Bonsoir ! Comment allez-vous ?

– Bien. Je n'espérais plus de vos nouvelles.

– Un reproche ?

– Non… De quel droit vous en ferais-je ?
– En effet.
– Mais vous m'aviez dit que vous me contacteriez et je m'étonnais de votre silence.
– Je n'ai pas d'explication à vous donner, Tristan.
Son agressivité déclenche la mienne :
– Yse… Quel est votre vrai prénom ? Vous ne pouvez vous appeler Yse pour de bon !
– Pourquoi donc ? Parce que vous vous appelez Tristan ? Ne ramenez pas tout à vous ! C'était une idée de ma mère. Elle pensait que les prénoms déterminent le destin de ceux qui les portent, et qu'avec celui-là je connaîtrais une belle histoire d'amour… Mais rassurez-vous : si c'est avec vous, ce dont je doute, la nôtre ne ressemblera pas à celle du roman.
– C'est-à-dire ?
– Vous n'avez donc jamais lu ce chef-d'œuvre ?
– Non, j'avoue.
– Une des plus belles histoires d'amour jamais écrites. Composée au Moyen Âge par plusieurs auteurs successifs. Une histoire universelle, aux versions multiples, toutes plus fascinantes les unes que les autres.
– Et que se passerait-il si notre histoire était la même ?
– Si nous étions Tristan et Yseut, votre père serait mort avant votre naissance, votre mère serait morte juste après, et vous auriez été élevé par un certain Mark…

– Parce qu'il y a aussi un Mark dans ce roman ?

– Oui, quelle coïncidence, n'est-ce pas ?

– Vous vous moquez de moi...

Pour ne pas dévoiler mon trouble, je marche de long en large dans le salon de la suite.

– Pas du tout. Nous en avons beaucoup ri quand nous nous sommes rencontrés, Mark et moi. Il m'a dit qu'il connaissait un Tristan et qu'il me le ferait rencontrer. Il ne vous a jamais parlé de l'amitié de Mark et Tristan ? Sans doute parce qu'elle finit mal et que Mark, lui, n'aime pas ce qui finit mal. Vous voyez : on peut dire que notre rencontre était prévue depuis des siècles.

– La suite ?

– Si nous vivions la même histoire que les héros du roman médiéval, à dix siècles d'écart, nous aurions bu tous deux par erreur un philtre magique qui nous aurait enchaînés l'un à l'autre par un lien indissoluble, sans pour autant m'empêcher d'épouser Mark ni de vous laisser mourir ; puis de mourir à mon tour de chagrin. Mark aurait ramené nos deux corps en Cornouailles pour les inhumer l'un à côté de l'autre, un rosier et une vigne enlaçant nos deux tombes.

– Le dénouement n'est pas très gai, en effet.

– Rassurez-vous : comme je vous l'ai dit, notre histoire ne ressemblera en rien à celle-là.

– Parce que vous allez épouser Mark ?

– Non. Au grand jamais. Non !

– Et vous savez déjà, vous, quelle tournure prendra notre histoire ?

– Elle sera ce que nous en ferons. Je ne me laisse jamais porter par les événements. Et quand je n'y arrive pas toute seule, je cherche de l'aide. C'est pourquoi je vous ai dit que j'aurais bientôt besoin de vous.

– Je ne comprends toujours pas en quoi.

Je cesse de marcher de long en large dans le salon de la suite et je m'assieds sur une liseuse. Après un long silence qui me fait croire que la communication est coupée, elle reprend :

– Vous travaillez sur les pratiques et les théories de la « prescience », n'est-ce pas ?

Me méfier : ne rien dire de plus. Que cherche-t-elle au juste à savoir ?

– En effet.

– Et vous-même, êtes-vous « prescient » ?

– Pas comme vous le croyez, en tout cas.

– Que savez-vous de ce que je crois ? Ce n'est pas une question : je le sais. J'aurai donc besoin de vous… Nous en reparlerons. Pour l'heure, vous avez assez à faire avec vos propres soucis.

Que sait-elle encore ? Je ne relève pas. Elle enchaîne :

– Moi aussi, j'ai eu quelques problèmes.

– Vous ? Que vous est-il arrivé ?

– Mark et moi… une grosse dispute…

– À mon propos ?

Elle éclate de rire.

– Vous êtes bien prétentieux ! Non.

– Que s'est-il passé ?

– Au lendemain de notre dîner, à l'issue de cette conférence qui l'a tant mobilisé, Mark m'a proposé de faire avec lui l'ascension des contreforts de l'Eiger.

– Ah, j'oubliais : vous faites de l'alpinisme.

– Mark lui-même est un grand grimpeur, vous l'ignoriez ?

Cette excentricité-là m'était sortie de l'esprit. Mark est en effet mondialement connu pour avoir escaladé, dix ans plus tôt, deux des « 8 000 », au Népal.

– C'est ainsi que nous nous sommes connus durant l'été 2002. Il faisait de l'escalade avec mon père, j'avais treize ans. On a eu alors une... relation...

– Une « relation » à treize ans ? Avec un homme qui avait alors, si je calcule bien, trente-deux ans ?

– Rassurez-vous, il ne m'a pas violée. Juste un flirt... un peu poussé. Cela a fait scandale, à l'époque, quand ma mère l'a découvert. Après, nous nous sommes beaucoup écrit, malgré l'interdiction de ma mère. Nous nous sommes même un peu revus en cachette. Et je l'ai retrouvé, dix ans plus tard, à l'université...

– Et, depuis, vous êtes sa maîtresse.

– Dites donc, Tristan, je n'ai pas de comptes à vous rendre !

– C'est vous qui m'en parlez !

– Je voulais seulement vous dire que vendredi dernier, au soir de la conférence de Genève, il m'a proposé de l'accompagner dans la montée vers l'Eiger... Je ne voulais pas. Je ne sentais pas cette course. Au surplus, il avait beaucoup à faire avec la crise kurde. Nous sommes cependant partis de Genève le lendemain matin.

– Après que vous m'avez envoyé ces deux mangas ?

– En effet... Nous avons dormi, à mi-chemin de la montée, dans un refuge. Avant l'aube, je me suis réveillée. Mark ne dormait pas. Il était de mauvaise humeur. Il m'a rabrouée sur ma tenue, mes chaussures, ma démarche. J'ai compris que le secrétaire général ne l'associait plus à toutes ses décisions.

– Et alors ?

– Tout le temps que Mark vociférait, je n'ai pas pensé un instant à moi : j'ai senti qu'un danger vous menaçait, vous. Ou menaçait un de vos proches. C'était une sensation très vive et précise ; il fallait que je vous prévienne. J'ai essayé de vous envoyer un SMS, mais il n'y avait pas de réseau. J'ai alors voulu redescendre au plus vite.

– Quand était-ce exactement ?

– Dimanche dernier, le 25 janvier.

– À quelle heure ?

– Vers 4 heures du matin.

Exactement le jour et l'heure où, dans une chambre à Lyon, Che avalait des comprimés.

Yse est donc « presciente » ? Autrement que moi, qui ne devine que des événements lointains ? C'est pour cela qu'elle avait tenu à me rencontrer ?

Me méfier... Peut-être a-t-elle appelé l'hôpital pour connaître la date de l'hospitalisation de Che et, à partir de là, échafaudé toute cette histoire. Je l'interroge :

– Vous avez eu une vision ?

– Juste une intuition qui m'a traversé l'esprit. Cela m'arrive de temps à autre. En fait, de moins en moins souvent...

– Qu'est-ce qui vous arrive de temps en temps ? de deviner des pans de l'avenir ?

– Oui.

– Comment ça ?

– Je vous le confierai peut-être un jour...

J'insiste :

– Comment avez-vous su, pour mon fils ?

Elle hésite encore. Et si c'était elle qui avait dicté l'article paru dans l'*Angkor Times* ? Je quitte le salon de ma suite pour aller dans ma chambre. Elle reprend :

– Il m'arrive de deviner ce qui attend les autres. Mais les gens les plus proches de moi me sont maintenant indéchiffrables. Tenez, l'année dernière, un ami d'enfance a empoisonné sa femme : je n'avais rien pressenti. Inculpé de meurtre avec préméditation, il s'est suicidé en prison après deux tentatives ratées. Là encore, je n'avais rien anticipé... Quarante-huit heures après sa mort, j'ai reçu de lui une lettre dans laquelle il m'expliquait tout. Ça m'a profondément marquée de constater que je n'avais rien deviné de la noirceur de ses démons intérieurs... Vous voyez, je ne suis pas vraiment « presciente ». J'ai simplement eu l'intuition que votre fils allait mal.

– Oui, mais c'est exactement au moment où vous dites que vous l'avez pressenti qu'il a essayé de mettre fin à ses jours. Heureusement, il a échoué... Et vous avez encore connaissance d'autres choses à venir ?

Elle hésite.

– Non... Si ! Par exemple, je sais que Mark va me quitter.

– Comment le savez-vous ?

– Rien à voir avec la prescience. Je le sais, c'est tout.

– Cela vous attriste ?

– Cela me soulage. Aimer, c'est souffrir. Il faut admettre un jour que la vie, comme les rêves, n'est qu'illusions. Désormais, je me contenterai donc d'observer les gens et de ne pas avoir mal. Vous avez connu ça, n'est-ce pas ? Vous aussi avez été ravagé ? Je ne parle pas de la mort de votre fille, qui est sûrement une douleur insurmontable. Je parle d'une rupture sentimentale.

Je m'allonge sur mon lit, avant de lui répondre, très ému :

– ...On est surpris, on pense d'abord : « Pas ça, pas moi, pas maintenant ! » Et quand la douleur sourd et éclate, on tient à la garder pour se prouver que son amour était très fort. Puis on essaie de passer à autre chose. Mon ultime preuve d'amour, quand cela est arrivé, a été de ne pas encombrer l'autre de mon chagrin. Maintenant, c'est fini.

– En amour, il n'y a ni début ni fin, sauf pour ceux qui ont la manie de ranger toutes choses dans des catégories ; comme vous qui cherchez à tout théoriser. Il n'y a ni présent, ni passé, ni futur.

Je ne sais quoi dire. Elle a raison. Avec toutes les femmes qui ont passé dans ma vie, il n'y a eu ni début ni fin. Je me retourne, regarde au plafond et hasarde :

– Pourquoi m'avoir fait porter ces mangas ?

– Vous n'avez pas deviné ? Là, vous me décevez ! J'imaginais que vous trouveriez vite. Cherchez encore !

– Cela m'a inspiré quelques idées.

– Voilà ! Lesquelles ?

– Qu'il faut revenir dans le passé pour maîtriser l'avenir.

– Très bien. Et encore ?

– Que je ne dois pas m'inquiéter de notre différence d'âge...

– Quelle différence d'âge ? Je suis bien plus vieille que vous !

Je ne sais que répondre. Elle éclate de rire.

– Je vous entends cogiter... Il y a d'autres choses bien plus importantes dans ces mangas. Mais il me faut vous laisser, maintenant. Occupez-vous bien de votre fils. Ne m'appelez surtout pas. C'est moi qui le ferai, le moment venu.

Elle raccroche. Sans que j'aie eu le temps de lui demander ce que voulait dire la phrase qu'elle avait écrite sur la dernière page, et ce nombre : 77.

Seul, j'écoute en boucle *At Last* dans l'interprétation d'Etta James. Larry l'adore... Puis le quinzième quatuor de Beethoven. Rien d'autre ne peut me calmer ce soir.

Ce 2 février, Che sort de l'hôpital. Il semble heureux. Je le sens soulagé.

Les trois jours suivants, nous allons déjeuner ou dîner, selon ses désirs, dans un des nombreux petits restaurants, appelés « bouchons », de la ville. Il me fait remarquer que je n'utilise presque plus mon téléphone, que je ne consulte presque pas mes mails, ni même les nouvelles, en tout cas devant lui.

Il a raison. C'est comme si le sort du monde m'était devenu peu à peu indifférent. Ou comme si je n'en attendais plus que le pire.

La tournure des événements mondiaux hésite encore, dirait-on. Comme si des forces puissantes les tiraient vers le mal cependant que d'autres, tout aussi puissantes, tentaient d'empêcher la catastrophe.

Le 2 février, dans un article retentissant et admirablement informé, Henry Kissinger, à l'esprit toujours aiguisé, explique que si les « deux conflits jumeaux » se rejoignent par le jeu des alliances, ils entraîneront une déflagration planétaire. Le même jour, le secrétaire général adjoint de l'ONU, Mark Diffenthaler, annonce qu'il va proposer à Genève un compromis sur la gestion des fleuves transitant par le territoire kurde. Le 3 février, des troupes spéciales américaines s'installent dans le Kurdistan irakien face aux troupes syriennes et irakiennes. Le 4, des fantassins chinois prennent position sur une des îles Diaoyu. À Bruxelles, les ministres des Finances de l'Union européenne tentent de rassurer les marchés, malgré la menace de faillite de la Grèce, du Portugal et de l'Italie, et en dépit des rumeurs persistantes sur les pertes des plus grandes banques françaises, espagnoles et allemandes.

À Rome, le gouvernement de Matteo Renzi est renversé. Rome… j'ai promis à Evlyn de l'y emmener après-demain et je n'ai toujours rien annulé. Pourquoi passer quarante-huit heures avec une femme qu'on a décidé de quitter ? Ce serait absurde. Il n'y a pas d'avenir entre nous. Et je commence à m'ennuyer avec elle. Alors, pourquoi ne pas avoir encore annulé ce voyage ? Je déteste faire de la peine. Il faudra pourtant bien. Attendons encore. Mais ce sera plus vraisemblable si je m'y prends au dernier moment.

Le 5 février, succès diplomatique du président français : un sommet des Européens finit par se réunir, sans parvenir à adopter une position commune sur les deux conflits. Les Allemands sont pour la neutralité, les Français et les Anglais pour le soutien à l'Irak et au Japon.

Vendredi 6 février : dire au revoir à Che. Partir demain, mais pour où ? Comme chaque jour dans l'après-midi, je me connecte sur le site de l'université de Princeton tout en écoutant le dernier acte du *Chevalier à la Rose*. J'y lis un message d'excuse pour avoir publié à tort, deux heures plus tôt, une nécrologie du professeur Larry Snower... L'université aurait annoncé le décès de Larry ? Puis publié un démenti ? J'appelle Larry sur FaceTime. Il décroche, mais sa caméra n'est pas branchée. J'entends du bruit autour de lui.

– Bonjour, attends... Laissez-moi seul !

Il branche la caméra. Visage défait. L'objectif est braqué en gros plan sur lui, comme s'il ne tenait pas à ce que je voie ce qui l'entoure. Il est étendu dans un lit (il n'est que 18 heures à Princeton, cela ne lui ressemble pas). Pas le sien : un lit d'hôpital.

– Que se passe-t-il ? Qu'est-ce que cette histoire de fausse nécrologie ? Qui a pu commettre cette mauvaise blague ?

– Oh, tu sais, annoncer la mort de quelqu'un n'est jamais une fausse nouvelle, c'est juste un peu d'anticipation !

– On a trouvé l'auteur de cette plaisanterie ?

– Non. C'est quelqu'un de malin, en tout cas, car il a réussi à convaincre le webmaster qu'il était un de mes fils !

– Incroyable ! Tu es où, là ?

– À l'hôpital de l'université : une visite de routine.

Je sais que c'est faux. Je n'insiste pas. Je lâche juste, bêtement :

– Courage !

– Tu as raison. Il faut une sacrée dose de courage pour se convaincre qu'il vaut la peine de se montrer courageux. On dirait que tu écoutes *Le Chevalier à la Rose* ? Le dernier acte, n'est-ce pas ? On n'a jamais rien écrit de plus beau pour la voix humaine… Qui chante ? Elisabeth Schwarzkopf ?

– Euh… oui.

– Très bon choix… Tu devrais lire le livret de Hugo von Hofmannsthal. Il est si riche de messages cachés… Où en es-tu de ton audition ? Quand arrives-tu parmi nous ? Demain ?

– Bientôt. Je m'occupe encore un peu de mon fils, si tu veux bien.

– Je comprends.

Je sens percer une immense déception, vite maîtrisée, dans sa voix.

– Mais je serai prêt, ne t'inquiète pas. J'ai bien avancé.

Il reprend, plus lentement :

– Vous êtes quatre candidats avec quatre projets, et pas des moindres. Ça va être difficile !

– Je vais te dire franchement, si tu permets : je n'en veux pas vraiment, de ce poste. Je suis habité d'un profond sentiment d'inanité de tout cela.

– Je le sais, je le sais et ça me désole, répond Larry. La création de ce département d'ethnomathématique marquerait le couronnement de mon travail. Et il n'y a que toi pour l'obtenir ! Mais si tu ne le veux pas vraiment, tu ne l'auras pas. Ils le sentiront. Comment va Che ?

– Mieux. Il est sorti de l'hôpital.

Il semble caler ses oreillers.

– Tant mieux. Tu sais, ce qui lui est arrivé n'est pas si grave. C'est même plaisant...

– Comment ça, « plaisant » ? Une tentative de suicide ?

– Avec l'âge, tu apprendras qu'il faut se ménager chaque jour une bonne occasion de rire. Maintenant qu'il va bien, c'en est devenu une.

Il est pris d'accès de toux et sort du champ de la caméra. Je m'inquiète :

– Tu ne te sens pas bien ?

– Mais si ! Le mieux qu'il est possible... à quelques jours de ma mort !

– Ne dis pas de bêtises.

Je crois l'entendre marmonner :

– À moins que ce ne soit à quelques jours de la nôtre à tous...

Il se ressaisit :

– Où en es-tu de ta présentation ? As-tu progressé ? Tu peux m'en parler ? As-tu avancé à Angkor ?

– Non, rien. Pas même de simples fractales. Et j'ai dû repartir plus tôt que prévu. À cause de Che. Pas même eu le temps d'aborder le sujet avec qui que ce soit.

Pas question de l'ennuyer avec l'énigme de l'article. Il ne me croirait pas. Il répond :

– Ennuyeux. On ne peut pas se contenter d'exemples africains. Il faudrait alors que tu parles d'autres cultures que celle-là, par exemple des sagesses indiennes. Et juives. Il y a beaucoup de choses, là-dedans, sur la divination. Et sur les mathématiques du temps.

– Tu crois ?

– Oui, en Inde, nombre de pratiques prétendent permettre d'accéder à la prescience, à l'accomplissement, à ce qu'ils appellent le « *siddhi* suprême ». Tu dois introduire ça dans le programme de travail que tu proposes.

– Pourquoi n'en a-t-on pas parlé avant ?

– Parce que je pensais qu'on pourrait, avec Angkor, nous dispenser d'explorer cet immense univers indien. Visiblement, on ne le peut pas ; on n'a pas assez de choses convaincantes avec l'Afrique. Le conseil trouvera ça trop maigre. Il faut chercher ailleurs. L'Inde, c'est bien difficile. Ça reste une culture secrète, transmise de maître à disciple, peu révélée avec clarté, si ce n'est dans ce que j'ai découvert sur le sujet de la prescience au chapitre 27 d'un texte intitulé *Abhinavagupta*.

– Qui dit quoi ?

– D'après ce que j'en ai compris (mais il te faudra vérifier), les très grands sages de l'Inde, appelés *rishi* (« celui qui voit » ou « voyant »), accèdent à la connaissance de l'avenir par la circulation de ce qu'ils nomment *kundalini*, une sorte de flux qui vient purifier les *nadis*, des canaux qui dessinent, à travers le corps, une espèce de système nerveux inconnu de la médecine occidentale et qui se croise en certains points importants, les *chakras*.

– Ça m'a plutôt l'air de relever de l'acupuncture !

– Cela converge, en effet. Et aussi avec le yoga.

– Quel rapport avec la prescience ?

– La purification d'un *chakra* particulier, situé entre les deux yeux, l'*ajna chakra* ou « troisième œil », leur permet, disent-ils, de voir dans une dimension autre que le monde matériel, de devenir des *rishi*. Ceux qui vont plus loin encore, au-delà de l'*ajna chakra*, parviennent à purifier le dernier *chakra*, le *sahasrara*, situé au sommet du crâne. Ils réussissent alors, disent-ils, à marier leur énergie individuelle à ce qu'ils nomment l'énergie cosmique. Dès lors, ils ont accès à la connaissance suprême de tout, notamment aux ressorts secrets du passé, du présent et de l'avenir.

– Il est un peu tard pour que j'intègre tout ça dans mon programme de travail. Au demeurant, je ne vois pas quel rapport avec les théories modernes du temps...

– Mais c'est très proche de la relativité générale ! Et des neurosciences ! Tu devrais au moins le citer. Cela entre exactement dans ton sujet. Il te faudra vraiment en faire un des axes du programme de travail que tu vas leur proposer. Mais ce n'est pas tout : tu ne peux pas non plus ne pas faire mention des Prophètes.

– Quoi ? Les prophètes de la Bible ?

– Oui, eux aussi sont des « prescients ». Tu ne peux les passer sous silence. Ils entrent absolument dans ton champ d'études. Ils renvoient eux aussi à l'ethnomathématique du temps.

– Allons donc !

– Oui. Et il sera passionnant de mieux comprendre le rapport entre leur prescience et les conceptions modernes du temps.

– Des « prescients » actifs ou passifs ?

– L'un et l'autre. Quand ils voulaient influer sur l'avenir, ils annonçaient une catastrophe pour inciter les hommes à réagir. Ça marchait quelquefois ! Ainsi, Jérémie…

– Pas très souvent, si j'en juge par l'histoire juive… En particulier, ils n'ont pas vu venir la Shoah !

– Si : les prophètes l'ont annoncée au chapitre 26, verset 3 du Lévitique.

– Ah ? Comment sais-tu cela ? Parfois, je suis ahuri de tout ce que tu connais…

– Il y a tant de choses que je sais et que tu ne sais pas que je sais.

– C'est vrai, mais là, cela ne leur a pas servi à grand-chose.

– En effet, peu de gens ont écouté ces prophéties au moment où elles ont été faites. Et encore moins en 1940. Parce que personne ne réfléchit assez aux leçons du passé. C'est déjà ce que Joseph disait à Pharaon : la prévision du futur requiert une connaissance approfondie du passé. Voilà qui rejoint les théories du temps, non ?

– Si l'on veut. On m'a aussi expliqué récemment qu'on ne saurait pénétrer dans l'avenir qu'en transitant par le passé.

– Ah ? Tu peux me dire qui se risque à te conseiller sur ce sujet ?

Je reste muet. Il n'insiste pas. Est-il jaloux d'un autre appui dont je pourrais bénéficier ? Il se cale dans son lit et reprend :

– Vois-tu, ton exposé doit énoncer le plan du travail de recherche que tu proposes de mener à bien dans les années à venir. On ne te demande pas d'avancer une solution à tout. Tu dois juste les convaincre que l'ethnomathématique est un champ essentiel qui peut permettre à la science de franchir des pas majeurs. Comme la médecine traditionnelle. Et montrer que Princeton ne doit pas laisser ce terrain à d'autres universités, qui vont bientôt créer des chaires en ce domaine ; ne serait-ce que pour valoriser la dimension africaine de leurs propres programmes d'études !

– Attends, je n'ai aucune envie de faire de l'ethnomathématique juste pour faire plaisir aux partisans de la discrimination positive, si nécessaire soit-elle ! Je n'ai pas vocation à servir d'alibi ! Si tel est le cas, je ne veux pas de ce poste.

Larry sourit faiblement.

– Quel orgueil !

– Tu as sans doute raison. Vous, les Américains, vous dites cela des Français, de toute façon.

Sa toux le reprend. Au même moment, je vois sur mon téléphone qu'Yse me rappelle sur Skype. Yse ! Enfin ! J'abrège ma conversation avec Larry.

– Repose-toi, Larry. Nous en parlerons à mon arrivée.

– Quand ?

– Nous sommes vendredi. J'arrive... dimanche, au plus tard lundi.

– J'aimerais mieux dimanche...

Je bascule l'appel, sans même saluer Larry : Yse apparaît sur FaceTime. Son regard me traverse de part en part. Je ressens le même choc que la première et unique fois où je l'ai vue. Elle est vêtue de blanc, ses cheveux noirs sagement ramassés en une longue tresse roulée en bandeau comme la première fois où je l'ai vue. Une fractale ? Derrière elle, un mur gris orné d'un tableau dont je distingue mal les contours. On dirait qu'elle s'est mise en scène dans ce décor.

– Bonjour, vous. Je suis heureuse de vous revoir. Vous êtes donc toujours à Lyon, d'après ce que je vois...

– Oui... Je n'arrive pas à me faire à l'idée que nous ne nous sommes vus qu'une seule fois...

– Vous me reverrez vite. Je vous l'ai dit : dès que j'aurai besoin de vous.

– Dites ! Quand ?

– Je dois d'abord vous raconter une histoire de famille. Parce que, pour que vous puissiez me venir en aide, il faut que vous compreniez qui est…

– Une histoire de famille ? J'adore, racontez ! J'ai tout l'après-midi devant moi. Racontez !

Elle sourit :

– Solitaire, aujourd'hui ?

– Comme tous les jours, depuis que je vous ai rencontré.

– Oh, vous n'étiez pas seul, après notre dîner. Et vous ne serez pas seul demain, si je comprends bien ?

Je sursaute. Que sait-elle d'Evlyn et de ce week-end qu'il me faudrait vraiment annuler ? J'esquive :

– Racontez donc cette histoire de famille, comme vous dites.

– C'est une longue histoire qui débute au moins avec ma grand-mère maternelle, Elisabeth. Suivez-moi bien. Cela vous aidera à comprendre pourquoi j'aurai besoin de vous. Elisabeth Smolnyi, ma grand-mère, est née en 1916 à Budapest au sein d'une famille de grands propriétaires terriens. Enfant, elle souffrait d'affreux maux de tête. En fait, elle pressentait intuitivement l'avenir. Comme une évidence qu'elle cachait à tout le monde. Il semble que ce don lui venait de son propre grand-père…

– Continuez.

– Sa famille a été ruinée par la chute de l'empire austro-hongrois. À vingt ans, en 1936, elle a été envoyée à Londres chez un oncle pour finir ses études de droit. L'année suivante, elle y a rencontré Simon Dreyfus, fils du docteur Joseph Dreyfus, un ami de Freud. Simon travaillait à Vienne avec son oncle, un industriel en électricité allié des Rathenau. Joseph était venu à Londres pour affaires. Ce fut le coup de foudre. Elisabeth n'osa lui dire qu'elle le voyait mourir étranglé, ou étouffé, dans une baraque. Ils se sont mariés et elle a oublié ces visions.

– Elle le voyait comment ? Mort ? À l'état de cadavre ?

– Oui, je crois bien…

Yse me dévisage, puis se sert un verre de vin. Elle semble prêter l'oreille à la musique de Strauss, derrière moi. J'en change pour remettre *At Last*, d'Etta James. Elle sourit et boit à petites gorgées sans me quitter des yeux. Minutes d'intense partage.

Je ne vais pas lui dire qu'il m'arrive à moi aussi de voir les gens face à moi à l'état de cadavres ; et que c'est précisément pour échapper à ces visions que je compte et recompte tout ce qui se présente devant moi.

Elle continue :

– Elisabeth a épousé Joseph au grand dam des siens, bons bourgeois antisémites et ruinés. Joseph et elle sont revenus vivre à Vienne. Ils ont eu très vite trois enfants, trois filles, dont ma mère Lisa. Il y a eu l'Anschluss. Joseph, optimiste, n'a pas voulu rejoindre son père, son oncle et son frère en Amérique. Ses affaires ont été réquisitionnées en 1939 ; il a été arrêté en 1941.

– Et elle, votre grand-mère ?

– Elle n'était pas juive ; au début, elle n'a donc pas été inquiétée. Puis, quand la pression sur les conjoints de juifs s'est faite plus forte, elle est partie avec ses filles, dont ma mère, se cacher dans une des dernières propriétés familiales, en Carélie. Elle a ensuite réussi à passer avec elles en Suisse, à Locarno, où elle avait une sœur.

– Et votre grand-père ?

Elle me scrute, paupières plissées, comme si j'avais disparu de son écran. Il est vrai que je pense à Evlyn, avec qui j'ai rendez-vous demain matin...

– Vous êtes toujours là ? Je ne vous vois plus. Que faites-vous ? Vous m'écoutez ?

– Bien sûr, continuez !

Je déplace mon téléphone. Elle me sourit, paraît m'avoir retrouvé.

– Mon grand-père est demeuré dans un camp en Autriche jusqu'à sa déportation, en avril 1944, à Auschwitz. À la fin de la guerre, il n'est pas revenu et ma grand-mère a été rongée par le remords de ne pas avoir assez insisté pour quitter l'Autriche en 1938. Elle est restée vivre avec ses filles chez sa sœur, à Locarno, grâce à l'argent que son mari avait pu sortir avant la guerre. En 1976, ma grand-mère s'est suicidée en laissant un long message à l'intention d'éventuels arrière-petits-enfants. Ma mère s'est mariée en 1980 avec Antoine Ziegler, diplomate suisse. Je suis née neuf ans plus tard à Genève. Mon frère a vu le jour l'année suivante.

Elle semble trembler en parlant de son frère. Je pense : l'année de sa naissance, je suis parti poursuivre mes études dans l'Ohio. Nous avons donc bien vingt-deux ans d'écart.

Elle reprend sans se départir de son sourire :

– Oui, vingt-deux ans...

Elle lit donc encore une fois dans mes pensées ? Je ne relève pas, mais poursuis :

– Que disait le message de votre grand-mère ?

Elle hésite, sort un moment de l'écran, puis réapparaît. Elle semble d'abord incapable de rien articuler, puis reprend :

– Il est toujours chez le notaire. Mes tantes n'ont pas eu d'enfants ; ni mon frère ni moi n'en avons encore.

– Votre mère ne possédait-elle pas le même don que sa propre mère ?

– Elle ne m'en a jamais rien dit. Elle est morte en 2005. J'avais seize ans.

– Et votre père ?

– Mon père... Antoine a mené une vie compliquée. Il avait eu une fille d'un premier mariage, Clara, puis il a eu deux autres enfants avec ma mère : moi en 1989, mon frère Jonasz un an plus tard.

– Votre demi-sœur présente les mêmes dons que vous ?

– Clara ? Non ! Nous n'avons pas la même mère. Et les dons viennent sans doute de ma grand-mère maternelle. Clara a connu une jeunesse difficile. Très jeune, elle a dû être opérée d'un rein. Elle s'est retrouvée en dialyse à quinze mois et a dû être transplantée à l'âge de huit ans. Elle a bien récupéré. Nous n'avons pas longtemps vécu ensemble. Elle a fait ensuite de brillantes études et est devenue avocate à New York, métier qu'elle a vite abandonné pour suivre un autre avocat de sa firme, Donald Lawson, qui a lui aussi renoncé au barreau pour s'installer comme viticulteur près de Mondecino, en Californie, au nord de San Francisco, dans une maison isolée en forêt. Ils y produisent du vin à partir de cépages qu'ils achètent aux vignerons de la Napa Valley.

– Et votre père ?

– Ah, lui… Il a divorcé d'avec ma mère en 1990, juste avant la naissance de mon frère Jonasz. Il a déclaré à ma mère qu'il « avait fait son devoir », mais qu'à parler franc il n'aimait que les hommes. Il a quitté la diplomatie, a eu beaucoup d'aventures assez sordides. Il n'a vu ses enfants que trois fois. Puis il est retourné vivre avec sa propre mère ; il lui a avoué son homosexualité, lui a dit qu'il était désespéré. Il l'a poussée au suicide en lui promettant de se tuer après elle… Ce qu'il n'a pas fait. Il est mort en prison. Nous sommes restés seuls avec ma mère.

– Et vous ? Vous êtes aussi « presciente » ?

– Non. En tout cas, je cherche à oublier que je l'ai été. Cela ne m'a pas réussi…

– Comment cela ?

Elle hésite.

– Je dois vous le dire, sinon vous ne comprendriez pas. Vous vous souvenez de l'attentat en 2003, à Bagdad, contre le siège de l'ONU ?

– Bien sûr, là où Sergio de Mello a laissé la vie ?

– À l'époque, je connaissais Mark depuis quelques mois.

– Vous m'avez raconté : une « relation », vous n'aviez que treize ans…

– Oui… Ce jour-là, j'ai senti une menace planer sur Mark. Je ne savais pas au juste où il se trouvait. J'ai aperçu une lumière aveuglante dans un immeuble où je le voyais. Je lui ai téléphoné, alors que ma mère m'avait interdit de lui parler après notre… aventure. Il m'a dit qu'il était à Bagdad, dans l'immeuble de l'ONU. Je l'ai supplié de quitter les lieux sur-le-champ, sans savoir pourquoi. Il l'a fait ; juste pour me rassurer, tout en riant, heureux de mon appel, quelle qu'en eût été la raison. Trois minutes après, une explosion au troisième étage a démoli l'immeuble et tué ceux qu'il abritait. Mark, alors, a pris peur : qui peut aimer quelqu'un qui voit tout de vous, y compris votre avenir ? Il a refusé de me revoir pendant cinq ans… Puis je l'ai retrouvé ici, quand je suis revenue à l'université pour ma thèse.

– Qu'avez-vous fait entre-temps ?

– Des bêtises.

– Comment ça ?

– Rien d'intéressant. Maintenant, parlons de mon frère Jonasz… C'est pour lui que j'aurai besoin de vous. Il a été très marqué par l'histoire de notre père. Il a tout de suite été très... agité. Hospitalisé six fois, il a été diagnostiqué schizophrène. Au cours de son dernier internement, il y a trois ans, il a subi une série de vingt électrochocs. En fait, il n'est pas du tout schizophrène, il est « prescient »... Il a hérité des dons de notre grand-mère. En plus prononcé...

– Ce qui veut dire ?

– Comme Elisabeth Dreyfus, Jonasz, son petit-fils, pouvait décrire avec précision des événements des prochains jours... Il voit les gens à l'état de cadavres.

Comme moi ? Je sens comme une peur panique dans sa voix.

– Pourquoi « pouvait » ? Il ne le peut plus ?

– Je l'ignore. Il est parti voici trois ans. Je n'ai plus de nouvelles de lui depuis un an ; je pense qu'il a tout laissé tomber. Je suppose qu'il n'a pas pu supporter de connaître à l'avance les malheurs des autres.

Pourquoi ai-je encore l'impression qu'elle me ment, tout en étant sourdement terrorisée ? Par qui ? Pourquoi ?

Elle reprend :

– Remettez cette chanson que vous écoutiez.

– *At Last* ? Vous aimez ?

– C'est Mark qui me l'a fait découvrir.

Mark ? Larry... Oui, ils se connaissent. Je reviens prudemment à ce qu'elle m'a dit de Jonasz :

– Je comprends votre frère. Personne n'a envie de s'adresser à des gens en les voyant déjà morts.

Elle me regarde, troublée, puis dit d'une voix au bord de se briser :

– En sachant quand et comment ils vont mourir... Il voyait tout le monde à l'état de cadavres et en souffrait épouvantablement...

Sait-elle que je ressens pratiquement la même chose, même si c'est en moins précis ? Que je vois les gens de cette façon sans pour autant cerner les circonstances ou la date de leur mort ? Est-ce pour ça, en définitive, qu'elle a tenu à me rencontrer ?

Elle se ressaisit et lâche plus sèchement :

– Comme vous.

Nouveau choc ! Comment est-elle au courant ?

– Qui vous l'a dit ? Mark ? Je ne me rappelle pas lui en avoir parlé...

– Vous lui en avez parlé à Princeton, un soir où vous aviez sans doute beaucoup bu l'un et l'autre.

– Et c'est pour cette raison que vous êtes venue assister à ma conférence, n'est-ce pas ? Vous vous moquiez bien des fractales et de l'ethnomathématique ! Vous vouliez seulement comprendre comment on peut continuer à vivre avec ça ? En quoi pourrais-je être d'aucune aide à votre frère ?

– Je ne le sais pas encore.

Son frère... Je hasarde :

– Vous n'avez donc aucune idée de l'endroit où il se trouve actuellement ?

Elle hésite à me répondre :

– Il y a trois ans, il est parti en Inde. Il y était encore il y a un an. Depuis, il n'a plus fait signe...

– Pourquoi en Inde ?

– Il disait penser trouver là-bas un enseignant capable de lui apprendre à maîtriser ce don... Celui de prévoir l'avenir... et de le modifier.

De le modifier : c'est donc bien de cela qu'il s'agit. Ne pas lui confier ce dont Larry vient de me parler. Ce ne peut pourtant pas être une coïncidence. Larry et Yse se connaissent-ils ? Absurde ! Non, c'est sûrement le fruit du hasard. Je reprends :

– Où imaginez-vous qu'il soit maintenant ?

– Je ne sais... La dernière fois où je lui ai parlé... il y a un an, il voulait devenir un *sâdhu*.

– Un mendiant ?

– C'est cela.

– Pouvez-vous me le décrire physiquement ?

– Très grand, athlétique, très brun, des yeux...

– Ce n'est donc pas lui...

– Comment ça ? De qui voulez-vous parler ?

– Il y a six mois, à Jaipur, au Rajasthan, j'ai filmé avec mon téléphone portable une procession de *sâdhus* lors de la grande migration annuelle des nomades vers le nord. En revoyant ce film, j'ai vu passer furtivement au milieu des Indiens un jeune Blanc à l'air à la fois souriant et hagard. Ce ne pouvait être votre frère : il était blond, frêle, pas très grand.

– Vous avez là ces images ? Montrez !

Je manipule mon téléphone. Elle paraît soudain prise de panique. Elle s'impatiente :

– Montrez !

Sa voix est impérieuse. Elle ne semble pas avoir l'habitude qu'on la fasse attendre.

– Vous êtes sûre que vous voulez le voir ?

Je retrouve la vidéo de ces vacances avec Evlyn. Et je lui envoie par mail ces images furtives qui m'ont longtemps hanté : un cortège de *sâdhus* remontant du désert, suivant des nomades juchés sur des éléphants, traversant Jaipur et passant devant le palais des Vents. Je n'ai rien vu d'autre lorsque je les ai prises. Mais, en regardant la vidéo après coup, Evlyn a aperçu, l'espace de quelques secondes, un jeune homme pâle aux yeux bleus, très blond, pas très grand, le visage hâve, la silhouette efflanquée, marchant courbé. En arrêtant sur image et en zoomant, j'ai discerné ses traits d'Occidental. Il m'a paru serein, heureux. Depuis, j'ai souvent repensé à ce gamin : que faisait-il là ? Ses parents le cherchaient-ils ?

Yse regarde l'image intensément, mâchoires serrées. Va-t-elle se mettre à pleurer ? Puis elle sourit et, d'une voix beaucoup plus détendue :

– Non, ce n'est pas du tout Jonasz... J'ai peur pour lui. Ses visions peuvent le conduire à commettre n'importe quelle bêtise...

Elle semble réfléchir :

– Vous n'avez rien remarqué de bizarre, ces temps-ci ?

Je songe à l'article prémonitoire paru au Cambodge. Et à la nécrologie imaginaire de Larry. Comment saurait-elle ? Son frère y est-il pour quelque chose ? Prudemment, je n'en dis mot. Elle insiste :

– Vous n'avez pas reçu de messages incongrus ?

Je me tais. Elle me regarde intensément, semble comprendre mon silence et ajoute, très fermement :

– Je dois vous voir. Demain. C'est maintenant que je vais avoir besoin de vous.

Je sursaute :

– Demain ? À Lyon ? Vous êtes donc à Lyon ?

– Non, je suis à Genève. Je viendrai vous voir à Lyon, ou bien à Paris. Comme vous voulez. En voiture. J'adore la vitesse. Et cela n'a que trop attendu.

Elle joue avec ses cheveux. J'hésite : la retrouver demain ici, à Lyon, ou bien à Paris avant de repartir pour Princeton ? Pourquoi pas ? Mais non...

– Me voir demain ? Ce n'est pas possible. Je serai à... Rome.

Je viens de le décider : j'irai... Pour rompre avec Evlyn avant de repartir pour Princeton. Et aussi pour me fournir une excuse valable pour ne pas voir Yse.

Elle n'a pas l'air contrariée :

– Vous restez là-bas combien de temps ?

– Deux jours.

– Très bien. Je viendrai donc à Paris d'ici à quarante-huit heures. En voiture. Nous sommes vendredi après-midi. J'y serai dimanche matin.

– Vous plaisantez ?

– Pas le moins du monde !

– Ce serait adorable, mais je vous en prie : au moins, pas en voiture... Je ne veux pas vous faire prendre de risques.

– Croyez-moi : rouler des heures sur autoroute est à peine plus risqué que faire de l'alpinisme. À propos : j'aime beaucoup Etta James... mais pas du tout Richard Strauss.

Elle raccroche. Que sait-elle ?

Viendra-t-elle ? Et pourquoi ai-je dit que j'irais à Rome alors que je devrais partir au plus tôt pour Princeton ? Aller à Rome ? Encore une fois, j'ai trop attendu pour annuler. J'irai donc à Rome dire en face à Evlyn que tout est fini entre nous. Puis je repasserai par Paris pour voir Yse avant de m'envoler pour New York.

J'envoie un message à Evlyn pour lui confirmer que je la retrouverai demain matin à Cointrin. Elle me répond d'une voix enjouée que tout est prêt et qu'elle aura une bonne surprise pour moi.

Une surprise ? Elle ne serait pas enceinte, au moins ?

Pas envie de descendre là où elle a réservé : l'hôtel de France et de Russie, où j'ai séjourné avec Tina. Pas question d'y remettre les pieds avec Evlyn. Ne jamais revenir au même endroit avec deux femmes différentes. J'appelle mon ami l'écrivain Albert

Galliera, spécialiste de Dino Buzzati, qui dirige la villa Médicis : il n'a personne ce week-end, il est ravi de me revoir et nous logera.

Dans la soirée de ce vendredi 6 février, je dîne avec Che et lui explique que, comme il va beaucoup mieux, s'il n'y voit pas d'objection, je vais partir le lendemain pour Rome avant de retourner à Princeton. Il ne me pose pas de questions. Il semble plutôt pressé de me quitter, ce soir-là. Un amour tout neuf ? ou revenu ? Je devine en lui comme une jubilation, une euphorie nouvelle. Je le raccompagne boulevard des Brotteaux, « chez des amis », dit-il ; je le laisse devant un immeuble cossu, il m'embrasse et me lance d'un air mystérieux :

– Merci d'avoir été là pour moi. Je ne l'oublierai jamais. Et je trouverai bientôt une raison plus gaie de te faire revenir ici.

Je rentre à pied à l'hôtel. Rome, demain, mais pourquoi ai-je accepté ? Passant devant la terrasse d'un café, je vois deux vieux messieurs, chacun seul à une table, éloignés de quelques mètres, devant un même verre de vin, lisant le même journal. Comme dans un tableau de Hopper. Est-ce moi que je vois là tel que je serai un jour ? Est-ce encore une vision ? une prescience ? Ne plus y penser...

Une fois dans ma chambre de la villa Caroline, je regarde, comme chaque soir, les nouvelles sur mon ordinateur. Il est cette fois question de l'Écosse qui s'apprête à accéder à l'indépendance après le vote positif au référendum de septembre 2014. Le Premier ministre britannique convoque des élections dans un mois pour contrer ce projet et préparer le référendum sur l'adhésion de la Grande-Bretagne à la zone euro. En mer de Chine, dix morts dans un incident, sur une des îles Senkaku, entre Chinois et Nippons. Au Kurdistan, les États-Unis font savoir qu'ils ne laisseront pas l'Iran intervenir. Je sens toujours aussi distinctement que la Russie va s'illustrer dans la catastrophe.

J'hésite, je me trouble. L'image d'un massacre dans la neige me submerge. Des gens tirent. D'autres hurlent. Ils avancent l'un derrière l'autre et tombent, massacrés à bout portant. Des cadavres entassés. Des soldats autour. C'est la première fois que j'assiste à cette scène. Que j'entends ces cris, le bruit des balles. Impossible de discerner la langue qu'ils parlent. Vite, dominer tout cela, compter. Compter ! Mais cela ne m'aide plus. Panique.

Je mets l'ouverture de *Luisa Miller*, qui m'exalte. Puis le dernier quatuor de Beethoven, le seizième. Il me rassérène. Au bout de tant d'années, la musique fait retour dans ma vie. Après tant de chagrins, va-t-elle me consoler, me guérir ?

Je réussis à trouver le sommeil.

Le lendemain matin, samedi 7 février à l'aube, je quitte Lyon en train pour retrouver Evlyn à Cointrin.

Je peste contre ma lâcheté : pourquoi diable ai-je accepté ce voyage ?

CHAPITRE 7

Rome

Nous atterrissons à Rome le samedi 7 février vers les 13 heures. Evlyn déborde de tendresse.

À la villa Médicis, place de la Trinité-des-Monts, nous attend la principale chambre d'hôte, immense et inconfortable, au premier étage, avec vue sur les austères jardins de la villa. Qu'est-ce que je fais là ?

Le lit est en proportion de la taille de la chambre. Je pense à Yse. Si nous faisons l'amour, cet après-midi ou bien cette nuit, Evlyn et moi, c'est à Yse que je penserai.

Nous sortons déjeuner à l'hôtel Hassler, de l'autre côté de la place. Le restaurant de l'hôtel, au décor suranné, installé au dernier étage, est presque vide. Deux tablées d'Américains. Un groupe de Chinois. En fond sonore, l'ouverture de *Luisa Miller*… Un signe ?

Au dessert, Evlyn m'annonce qu'elle est prête à quitter son metteur en scène de mari et à renoncer au théâtre pour m'accompagner à Princeton. C'était donc cela, la « bonne surprise » dont elle voulait me faire part ? Une des plus célèbres actrices françaises prête à sacrifier sa carrière pour moi ? Je ne peux y croire. Elle mourrait d'ennui, perdue au milieu des compagnes de professeurs... Et puis je ne l'aime pas. Elle me plaît, elle est inventive au lit, je l'adore, mais je ne l'aime pas. Nos univers sont si différents que je ne puis imaginer une conversation prolongée avec elle. Elle ne s'intéresse ni à la science, ni à la politique, ni à l'ethnologie, et si je m'intéresse à tous les théâtres, elle-même ne s'intéresse qu'aux pièces et aux metteurs en scène qui peuvent lui offrir un rôle.

Elle me prend la main, guettant ma réponse. Je la retire silencieusement. Nul besoin de mots pour qu'elle comprenne mon refus. Elle sourit, se cale dans son fauteuil, fixe sur moi un regard perçant, dur, si dur que je ne parviens pas à le soutenir...

Pourquoi me sens-je coupable ? Après tout, je ne lui ai rien promis !

Nous repartons vers la villa, de l'autre côté de la place. Quelques mètres difficiles à franchir...

Nous aurions mieux fait de descendre à l'hôtel. Je me sens mal. Jamais je n'aurais dû venir à Rome, j'aurais dû annuler ce week-end alors qu'il en était encore temps et quitter Evlyn sur un coup de téléphone. Je n'aime pas ce sentiment d'aliénation, quand on réalise qu'on se trouve quelque part parce qu'on n'a pas eu le courage d'être ailleurs.

Evlyn sort en silence. Je reste seul dans la chambre tout l'après-midi. Pas envie de travailler. Je devrais pourtant préparer mon audition de la semaine prochaine.

J'allume le téléviseur et zappe jusqu'à obtenir des informations en italien. Après avoir raconté les ultimes frasques d'un ex-président du Conseil emprisonné pour avoir violé la petite-fille de son meilleur ami, la chaîne diffuse des images des premiers accrochages, au Kurdistan irakien, entre troupes turques, syriennes, kurdes et irakiennes. On parle de l'arrivée prochaine en Italie de vagues de migrants venus d'Irak et de Turquie. En Asie centrale, les troupes russes et kazakhes se massent à la frontière iranienne. En Extrême-Orient, la situation semble encore se dégrader avec l'entrée en scène de l'Indonésie, qui n'entend pas rester à l'écart d'un conflit régional.

L'écran se brouille. Malaise. Réapparaît l'image du massacre déjà entr'aperçue la veille tandis que je parlais avec Yse. Cette fois plus précise : des soldats massacrent des femmes. J'entends leurs cris. Vision fugitive, comme un souvenir remontant à la surface. Prémonition ? Prescience de ce qui menace en ce moment même au Kurdistan ? Pourquoi ai-je encore cru voir de la neige, foulée par des victimes et des bourreaux ? Écouter Verdi. *Luisa Miller*. Chanter l'ouverture dans ma tête. Tout se calme. Je songe aux fractales : mes visions sont comme elles ; images successives, de plus en plus précises.

L'après-midi s'éternise. Qu'est-ce que je fais là ? J'aurais mieux fait de rester un jour de plus avec Che ; ou de partir plus tôt pour Princeton travailler à mon audition. En parler à Larry.

Je l'appelle par FaceTime. Longue sonnerie. Je suis sur le point de raccrocher quand lui-même décroche, mais il refuse la visioconférence. Est-il encore à l'hôpital ?

– Pardon de te déranger. Tu veux que je te rappelle ?

– Non, non. Alors ? Tu as fait bon voyage ? Tu es arrivé à New York ?

Voix à peine audible.

– Pas encore.

– Oh ! Vraiment ? J'espérais pourtant te voir aujourd'hui.

– Je serai là demain, après-demain au plus tard. Promis.

– Après-demain… Tu es encore à Lyon ?

J'élude :

– Tu souffres ?

– Peu importe… Je fais quelques rangements et prépare l'après. Justement, je parlais de toi avec Lucio.

– Lucio est là ?

– Oui, mes deux fils sont là. Dis-moi : te souviens-tu de ma collection d'éditions originales de Lewis Carroll ?

– Bien sûr, pourquoi ?

L'intégrale des œuvres, dont la célèbre et rarissime première édition anglaise d'*Alice*, celle de

1866 avec les illustrations de John Tenniel. Elle lui a valu d'être en butte à une rumeur de pédophilie. D'ordinaire, il n'aime pas trop qu'on lui en parle.

– Elle sera pour toi.

– Mais… ? Pourquoi veux-tu t'en défaire ?

– À ma mort ! Elle sera bien mieux chez toi que chez mes enfants. Elle te portera chance, tu verras.

– Ne parlons pas de ça. Tu nous enterreras tous !

– Tu sais très bien que ce n'est pas vrai. Tu dois même le savoir mieux que personne !

Croit-il, lui aussi, que je suis capable de deviner la date de sa mort ? Je hausse les épaules. Il insiste :

– Tu les garderas, n'est-ce pas ? J'y tiens.

– Le jour venu, tes enfants aimeront les garder.

– Eux ? Non, je leur en ai parlé. À part l'Italie et la bouffe, rien ne les intéresse. Surtout pas moi. Ils ont définitivement choisi le clan de leur mère.

– Tu es injuste. Quant à leur mère, italienne ou pas, c'était d'abord la plus grande violoncelliste que j'aie jamais entendue ; et tes enfants t'aiment autant qu'ils l'ont aimée.

– C'est ce qu'ils disent. Mais ils n'ont jamais pris le temps de venir me voir. Ils ne répondent même pas à mes mails, en général. Et la preuve que je vais très mal, c'est qu'ils sont là !

– Tous les deux ? Lucio et Mauro ?

– Oui, ils ont débarqué hier soir. On a parlé de ces livres. Ils seront mieux chez toi. Je te les ferai porter, c'est plus sûr.

– Tu m'as déjà fait le plus beau des cadeaux : grâce à toi, j'ai compris que les mathématiques ne sont pas seulement un jeu de l'esprit, mais peuvent contribuer à comprendre et à réparer le monde. Tu m'as mis sur la piste de l'ethnomathématique. Et c'est encore grâce à toi que j'ai la chance de pouvoir proposer, dans cinq jours, la création de ce département. Mon programme de travail ne serait rien sans toi. Justement, je voudrais en parler avec toi.

– Pour cela, tu devrais être là !

– J'arrive. Mais, tu sais, avec ces événements…

Il m'interrompt :

– Dis-moi plutôt où en sont tes amours ?

Qu'a-t-il deviné ? Voit-il où je suis ? Non… nous ne sommes qu'au téléphone. Je balbutie :

– C'est assez confus…

Il éclate d'un rire difficile :

– N'oublie pas ce que dit Gilgamesh : « Fais le bonheur de la femme serrée contre toi, car elle est l'unique perspective des hommes. »

– Ce que je pressens de l'avenir me dit que les hommes n'ont pas beaucoup de perspective !

– Ne sois pas si pessimiste ! Ce monde survivra à la nouvelle barbarie qui s'annonce. Les Justes finissent toujours par l'emporter. Rappelle-toi ceci : le temps est l'allié des Justes.

Il raccroche. Je reste un long moment devant l'écran noir, chassant l'idée que c'est probablement la dernière fois que je lui parle…

Evlyn rentre ; elle a dévalisé les magasins. Elle parle sans cesse, comme pour ne pas laisser s'installer entre nous un silence embarrassant. On lui a recommandé un restaurant dans l'ancien quartier juif, près du Trastevere, on y sert les meilleurs artichauts du monde… Nous y allons d'un pas léger. Elle sait que j'ai compris qu'elle va me quitter. Nous parlons de tout et de rien. Nous rions de moments communs. Nous n'avons pas du tout le même souvenir de notre rencontre. Qui le premier a parlé à l'autre, dans cette soirée il y a trois ans au Quai Branly ? Qui le premier a rappelé l'autre ? Elle m'explique qu'elle repartira demain, plus tôt que prévu, pour Londres où elle doit retrouver son agent. Elle va y créer une pièce d'un nouvel auteur français inconnu. Je ne suis pas dupe. Nous rentrons vite à la villa Médicis, où nous nous endormons côte à côte. Je n'ose pas la prendre dans mes bras. L'a-t-elle espéré ? Je pense à une phrase de mon grand-père : « Il faut aimer les autres comme soi-même, mais ne pas leur faire croire que cet amour leur est exclusivement réservé. »

Le lendemain, dimanche 8 février, au réveil, Evlyn n'est plus là. Elle ne me manque pas. Impossible de me faire servir un petit déjeuner, si ce n'est dans la salle à manger du directeur, et en sa compagnie… Aucune envie de lui parler. Je traîne. Rentrer à Paris pour y voir Yse ? Non. Partir au plus tôt pour New York, où m'attend Larry. Mon audition est pour jeudi prochain. Il est vraiment temps d'y aller. Il doit bien y avoir un vol direct depuis Rome. En effet : je réserve. Départ à 16 heures de Fiumicino. Je serai à 22 heures à Princeton. J'irai tout de suite voir Larry. Je pars pour l'aéroport.

Dans le taxi, je feuillette distraitement les nouvelles sur le net. Le gouvernement japonais de M. Abe est renversé : pas assez belliciste. Sur décision du président chinois, la mobilisation partielle devient générale. Les États-Unis, l'Australie, tous les pays de l'ASEAN déclarent qu'en cas de déclenchement des hostilités, ils feront jouer leurs alliances et se rangeront aux côtés de l'armée japonaise. Les combats dans le Kurdistan syrien et irakien font rage. L'armée de Damas est entrée ce matin dans le sandjak d'Alexandrette, rattaché à la Turquie.

Pourquoi pensé-je soudain à Mark, qui m'en avait naguère si longuement parlé ? Où est-il, aujourd'hui, le secrétaire général adjoint des Nations unies ? Dans la région ? On ne parle plus de lui…

Les nouvelles européennes ne sont pas meilleures. En Espagne, en Italie, en France, l'extrême droite, qui a remporté l'an dernier les élections européennes, réclame maintenant un embargo sur les produits chinois et russes. Après ses homologues portugais et espagnol, le nouveau gouvernement italien, dirigé par Beppe Grillo, se dit prêt, si nécessaire, à prendre une participation dans trois banques que la BCE vient de déclarer en faillite.

À la rubrique « faits divers », un meurtrier en série arrêté à Padoue raconte que ses parents l'ont violé quand il avait deux ans et qu'il ne l'a su qu'à vingt ans, quand il a été hospitalisé pour troubles psychiatriques. En Toscane, un jeune homme a été retrouvé nu, amnésique, ne parlant que l'anglais, dans un parc près de Florence ; il ne se souvient de rien, mais devient prolixe quand on l'interroge sur les événements des douze mois à venir ; il cite le nom du prochain président américain : le général Petraeus, dont nul n'a pensé jusqu'ici qu'il pourrait être candidat.

Prescience encore ?

J'arrive à l'aéroport. Je me précipite au guichet d'enregistrement. Mon téléphone sonne. Yse ? Est-elle vraiment venue à Paris ? J'hésite à décrocher.

– Désolée, j'ai roulé moins vite que prévu. Je viens seulement d'arriver à Paris. On se retrouve chez vous !

– Je suis encore à Rome.

– Vous plaisantez ? Ce n'est pas vrai ! Vous n'avez pas fait cela !

Pourquoi ai-je l'impression qu'elle n'est pas le moins du monde étonnée ?

– Désolé. Je n'ai pas pu.

– Vous savez que j'ai besoin de vous, là, maintenant.

– Désolé. Je dois partir d'urgence pour Princeton. Je vais y aller directement depuis Rome. Je me trouve d'ailleurs en salle d'embarquement.

Devine-t-elle mon mensonge ? Je suis seulement dans la file d'attente de l'enregistrement.

Sa voix devient sèche :

– Non ! Vous venez à Paris. Maintenant. Vous partirez pour New York demain depuis Paris. Je vous attends. C'est important. Pas seulement pour moi. Pas seulement pour vous. Venez !

J'hésite. Larry doit s'impatienter. Si je ne pars que demain, je ne le verrai que mardi. Il semblait si pressé... Je m'entends pourtant répondre à Yse :

– Très bien. J'arrive. On se retrouve où ?

– Je vous attends chez vous.

– À tout à l'heure, je...

Elle a déjà raccroché.

Au même moment, je reçois un message de Mark : « Méfie-toi d'Yse. Ne tombe pas dans le même piège que moi. Les femmes, ce n'est plus de notre âge. Je t'embrasse. »

CHAPITRE 8

Paris

En ce début d'après-midi du dimanche 8 février, je quitte Rome pour Paris. À bord de l'avion, j'écoute en boucle le dernier quatuor de Beethoven. Comme si cette sublime mélodie pouvait m'apprendre par avance ce qu'Yse a l'intention de m'annoncer.

Je ne partirai donc que demain matin pour New York. Encore une fois, une femme m'aura imposé sa décision. Evlyn elle-même m'a dicté une rupture dont je n'ai pas pris l'initiative, puisque je n'ai même pas eu le courage de refuser explicitement le sacrifice qu'elle m'offrait. Ne plus penser à elle : tout chagrin d'amour est une bombe à retardement.

En atterrissant à Roissy vers 16 heures, j'espère vaguement y trouver Yse. Elle n'y est pas. Je prends un taxi pour la rue de Tournon. Elle doit m'y attendre.

J'allume mon portable. Message d'un avocat israélien, Gil Kramer. Je l'avais oublié, celui-là.

Je l'avais pourtant chargé il y a un an de négocier pour moi avec le Keren Ayessod l'achat d'une tombe dans le plus célèbre cimetière du pays, celui du mont des Oliviers, à Jérusalem, face à la vallée du Golgotha. L'endroit est splendide. Me faire enterrer là-bas m'évitera d'avoir à choisir entre tous les autres lieux possibles. J'avais cru la démarche on ne peut plus simple. Pas du tout : tous les juifs du monde aspirent à y être inhumés. Et bien d'autres encore. Il est vrai que, selon la tradition juive, les personnes enterrées là seront les premières ressuscitées, parce que le Messie, lorsqu'Il viendra relever les morts, passera d'abord par le mont des Oliviers avant d'entrer dans Jérusalem.

L'avocat avait dû d'abord acquérir un emplacement, plus ou moins cher selon la vue et l'accessibilité pour les visiteurs. Puis obtenir toutes les autorisations administratives. J'ai écrit tout cela dans mon testament. Gil Kramer m'explique dans son mail que – ultime formalité – je devrai me rendre sur place pour signer les papiers d'enregistrement. Pas question ! Aucune envie d'aller là-bas maintenant. Au demeurant, je ne suis plus du tout certain de vouloir y être pour l'éternité. Il faudra que je songe à envoyer une lettre à mon notaire pour amender ce texte. Je laisserai mon fils choisir, ou bien la femme de ma vie s'il en existe une à ce moment-là… Qui viendra, d'ailleurs, sur ma tombe ? En quoi est-ce si important ? Y aura-t-il encore, après la guerre qui menace, quelqu'un pour aller se recueillir sur une quelconque tombe ?

Les nouvelles du monde sont de plus en plus exécrables. Comme on pouvait le redouter, les « conflits jumeaux » pour le Kurdistan et les îles de la mer de Chine se rejoignent peu à peu par le jeu des alliances. Tout l'approvisionnement mondial en énergie est menacé. Les parlements d'Europe, d'Asie, d'Amérique sont convoqués pour confirmer et clamer leur soutien à leurs alliés... Tous feignent de ne pas croire à une guerre. Si elle a lieu, chacun s'attend à ce qu'elle soit brève et se déroule loin de chez soi.

J'appelle Che à Lyon. Il ne répond pas. J'appelle Tina à Londres. Elle ne répond pas davantage. Ne pas appeler Evlyn. J'appelle Yse. Où est-elle ? M'attend-elle devant chez moi ? J'appelle Mark. Il ne répond pas non plus. Je n'en suis pas surpris : il doit être en pleins pourparlers sur le Kurdistan.

Cependant que le taxi entre dans Paris, un autre mail de Princeton : confirmation qu'on m'attend bien jeudi prochain, 12 février, pour l'audition qui doit décider si j'obtiens la chaire que je convoite depuis deux ans. J'y serai dès demain, lundi, tard le soir.

J'arrive rue de Tournon vers 17 heures. Pas d'Yse devant l'immeuble. Comment la retrouver ? Pourquoi avoir fait ce crochet par Paris si elle n'y est pas ? Je monte chez moi, quatre étages à pied.

Elle est là, assise sur le palier, vêtue d'une longue robe blanche, un sac posé à ses pieds. Aucun bijou. Elle se lève et me sourit. J'essaie de lui parler. Elle pose la main sur mes lèvres et se love dans mes bras. J'ai l'impression qu'elle sanglote à bas bruit. J'ouvre la porte. Nous entrons. Elle ne me lâche pas, me déshabille. Fait-elle cela parce qu'elle a quelque chose à me demander ?

Nous faisons l'amour. Sur le canapé du salon, puis dans ma chambre. Longuement. Sans jamais être rassasiés. Son corps, ses caresses me bouleversent. Je n'ai jamais ressenti de telles sensations, pures et sauvages. Quand je veux prendre des initiatives, elle me repousse ; je la laisse faire, jusqu'au vertige. Elle ne peut simuler ces tremblements, ces vibrations, ces gémissements. Éblouis, nous restons étendus sur mon lit. Elle murmure :

– C'est merveilleux de faire l'amour avec quelqu'un après avoir eu la prescience qu'on le ferait.

Sa voix n'est plus la même. Elle semble troublée, désarmée. Je réponds :

– Je ne pourrai plus faire l'amour avec qui que ce soit d'autre… Pourquoi l'avoir fait avec moi ?

– Parce que tu en avais envie. Et parce qu'ainsi c'est fait, c'est derrière nous, et nous pouvons parler sérieusement.

– Te voilà bien cynique ! Tu ne l'as fait que parce que tu as quelque chose à me demander ? Je ne te crois pas !

– Et tu as raison... Peut-être serai-je un jour amoureuse de toi ; mais le moment n'est pas venu de le reconnaître.

Rester sur mes gardes. Ne pas céder... Elle reprend doucement :

– Je mesure mieux, maintenant, combien j'ai besoin de toi.

– Pourquoi moi ?

Elle fait silence, me caresse les cheveux. Puis dit :

– Penses-tu qu'une des pratiques d'un peuple ancien pourrait permettre d'empêcher quelqu'un d'entrer par effraction dans le futur pour le modifier ?

– Pas besoin de magie pour cela ! Il suffirait de le tuer !

– Non, mais si on ne le sait pas à l'avance ? Peut-on envoyer quelqu'un dans l'avenir contrer l'action d'un autre ?

– Dans aucune culture je n'ai rencontré une pratique pareille.

– Mais tu penses que cela serait possible ?

– Si l'on suit le mode de penser ancien, il faudrait que celui qui veut empêcher l'autre d'agir sur l'avenir soit aussi « prescient » que lui, et également capable d'aller dans le futur. Mais je te le répète : ce ne sont là que des spéculations et je n'ai jamais entendu parler d'une telle pratique.

Elle insiste :

– Comment pourrait-on y parvenir ?

– En théorie, il faudrait que les deux « prescients » se rencontrent dans le présent et que l'un laisse l'autre pénétrer dans son propre voyage.

– C'est bien ce que je pensais. Alors il faudra que tu le rencontres...

– Qui donc ? Ton frère ?

– Oui...

Elle me caresse doucement le torse. Difficile de me concentrer. Elle reprend :

– Réponds-moi d'abord : cette maladie, l'arithmomanie, tu en souffres depuis longtemps ?

Puisqu'elle sait, ne rien lui cacher :

– L'arithmomanie n'est pas une maladie. C'est une technique servant à écarter certaines visions. D'autres l'ont utilisée avant moi avec succès. Émile Zola y recourait, par exemple, pour lutter contre ses propres obsessions. Ernest Lanzer, le malade dont Freud décrit le cas dans *L'Homme aux rats*, l'employait pour se débarrasser de la hantise d'avoir des relations sexuelles avec son père...

– Tu as la vision de relations sexuelles avec ton père ?

– Franchement, non !

– Alors c'est quoi, tes visions ?

– Des massacres, des tirs de mitrailleuse, des morts, des cadavres... Je vois tout le monde comme autant de cadavres. Je pense que c'est une vision de ce qui nous attend.

Long silence. Ses caresses se font plus précises.

– Parle-moi de ton grand-père.

– Pourquoi me demandes-tu ça ? J'ai l'esprit ailleurs.

– J'insiste !

Après tout, rien à lui dissimuler. Mais pourquoi lui en parler ? Elle revient à la charge :

– Tu l'as connu ?

– Oui. Il est mort à quatre-vingt-dix ans, en 1994.

– D'où venait-il ?

– De Moscou. Je te l'ai dit lors de notre premier dîner. T'en souviens-tu ? Dans les années 1930, il était membre du Comité central du PCUS sous le nom d'Igor Sziniawsky. Quand il a compris que Staline allait le faire fusiller, comme tous les prétendus ennemis du peuple et les fractions anti-Parti, il a réussi à s'échapper et à passer en France. Il y a changé de nom et s'est fait appeler Igor Seigner. Il a repris son métier de médecin, puis est devenu antiquaire spécialisé dans l'art africain. Il avait rencontré dans la Résistance un collectionneur qui l'a initié…

– Et ton père ?

– Mon père (qu'il a prénommé Léon, comme Trotski) est né à Toulouse en pleine guerre ; il est ensuite devenu antiquaire aux côtés de son père vers 1970. Il est mort avec ma mère dans un accident d'avion à Kazan, en 1992, deux ans avant la mort de son propre père, trois ans avant mon mariage et cinq ans avant la naissance de mes jumeaux.

– Ton père savait que tu étais atteint de TOC ?

– Non. Ils se sont déclenchés après sa mort. Quand…

Impossible d'en dire plus. Elle est sur moi. Nous faisons de nouveau l'amour. Toujours sans un mot. Elle me bande les yeux d'un foulard noir. Un autre, blanc, me lie les mains. Choc intense. Je n'ai jamais éprouvé pareilles sensations.

Brusquement, elle se lève :

– Je dois rentrer.

– Déjà ? Reste ! Ne pars plus.

– J'ai une longue route à faire. Je dois être à Genève demain matin. Quant à toi, tu dois partir tôt demain pour Princeton. Nous nous reverrons. Plus vite que tu ne penses.

Elle prend une douche, m'embrasse, laissant ses mains exprimer ce que ses lèvres semblent incapables de formuler. Elle s'en va.

Quel vide, soudain. Quel vertige. Quel manque… Je vais souffrir. Vingt ans d'écart : elle se lassera vite. Me laissera seul. Vieux et seul. Je songe à la phrase prêtée à Camus : « Avec l'âge, ne plus vivre que des relations légères. » Je me refuse à ressentir à nouveau l'intolérable manque, sans savoir s'il est une blessure d'amour ou bien d'amour-propre. Et elle, de toute façon, n'y a sans doute vu qu'une aventure de plus. Un moyen d'obtenir quelque chose de moi. Mais quoi ? Ne pas y penser. La fuir.

Je remarque qu'elle a laissé deux foulards, l'un noir et l'autre blanc, sur le lit. Les foulards de ses jeux…

22 heures. Il est trop tard, de toute façon, pour prendre le dernier avion pour New York. Je m'habille et sors. Il fait très froid.

Je descends la rue de Tournon, traverse le boulevard Saint-Germain et me retrouve sur les quais, tourne à gauche, passe devant la boutique « Seigner, antiquaire », quai Voltaire. Elle est fermée.

Je franchis le pont. Le vent me coupe le souffle.

Pourquoi me manque-t-elle à ce point ? Pourquoi tout avec Yse était-il si pur ?

Elle avait dit la première fois : « Dans le passé comme dans l'avenir, j'aurai besoin de vous. Soyez là. » Puis ce soir : « Alors il faudra que tu le rencontres. »

Qu'a-t-elle voulu signifier par là ? Qu'il me faudrait retomber en enfance pour connaître le fin mot de mes visions ? Qu'y aurait-il eu de caché dans mes premières années ? Pourquoi rencontrer son frère ?

Une fois la Seine traversée, face au Louvre, je tourne sur la gauche et me dirige vers les Tuileries, éclairées par une fête foraine. Mon portable vibre. Un message clignote. Yse ? Non. C'est Pedro Moreira, qui dirige le département de mathématiques de l'université de São Paulo. L'USP est l'un des plus grands établissements d'enseignement d'Amérique latine. Y ont enseigné Claude Lévi-Strauss et Fernand Braudel. J'aime bien Pedro : héritier d'une grande famille d'industriels ; frère photographe, sœur journaliste ; je l'ai connu à

Princeton comme doctorant en topologie et il a réussi en peu de temps à s'imposer comme un mathématicien de premier plan. Il m'a souvent convié à enseigner chez lui et j'ai accepté de me rendre à son invitation la semaine prochaine, après l'audition. Pour y lancer des recherches en ethnomathématique dans le monde amérindien. Tant à faire…

Pedro s'étonne d'avoir appris, dix minutes plus tôt, par deux tweets du *Globo*, le plus important journal du Brésil, que la conférence que je suis censé donner le 16 février prochain à São Paulo dans un grand hôtel de la ville, le Tivoli Maufarej, et la réunion de travail avec son département, qui devait suivre, sont reportées *sine die*. N'aurais-je pas dû l'en informer d'abord ? Je proteste : la réunion dont il parle figure bien sur mon agenda pour le 16 février, juste après Princeton ; pas question de l'annuler. Il insiste :

– C'est une info donnée par le plus sérieux journal du Brésil. Lis toi-même ! En tout cas, je suis rassuré de savoir que ce n'est qu'une fausse nouvelle !

Il me transfère les tweets : « Alerte à la bombe, sans doute d'origine criminelle, à l'hôtel Tivoli Maufarej » ; « Le professeur Seigner, de l'université de Princeton, qui devait donner une conférence au Tivoli Maufarej, a annulé sa venue au Brésil. »

Qu'est-ce encore que cette histoire ? Quelqu'un se fait-il une fois de plus passer pour moi ? Le même qui aurait accordé cette interview, à Phnom Penh, il y a trois semaines ? Pourquoi cette décision ? Ma conférence au Brésil est bien toujours prévue pour le 16. À moins que... Qu'est-ce qui pourrait me conduire à la différer, voire à l'annuler ? Je ne vois pas. À ma connaissance, mon voyage au Brésil n'a pas été reporté. Méfiance, néanmoins : mon séjour à Phnom Penh l'a été, après que je l'ai lu dans la presse.

J'arrive sous l'arc du Carrousel, entre le parvis du Louvre et le jardin des Tuileries. Je ne peux m'empêcher de songer à *Opération Shylock*, le roman où Philip Roth raconte à la première personne que quelqu'un, à Jérusalem où il doit se rendre pour une série de conférences, se fait passer pour lui, Roth, y dénonce le sionisme et fait campagne pour l'émigration de tous les Israéliens... en Pologne ! Je ne vois pas comment mes visions pourraient déboucher sur un même dédoublement de la personnalité. Je souffre d'obsessions, pas de schizophrénie.

Alors qui ? Che ? Evlyn ? Tina ? Larry ? Yse ? Un inconnu ?

Pourquoi cet enchaînement me fait-il penser à des fractales ? Des histoires qui se répètent, de plus en plus réduites, enchâssées à l'intérieur d'une histoire plus vaste ; des événements comme sertis dans les replis du temps...

Je traverse le jardin en direction de la rue de Rivoli. La nouvelle va sûrement atteindre les médias français. Je ne veux pas que mon fils apprenne par la presse qu'une alerte à la bombe aurait pu me concerner. J'appelle encore Che : son téléphone est coupé. Il ne me répond pas non plus sur WhatsApp. Je m'inquiète. Je l'appelle à nouveau. Son téléphone sonne longuement. Il finit par décrocher.

– Papa ! Tout va bien ?

Voix bien meilleure qu'il y a trois jours.

– Il y a juste qu'une fausse nouvelle vient d'être diffusée au Brésil, disant qu'il me faut reporter ma conférence à la suite d'une alerte à la bombe.

– Qu'est-ce que tu racontes ? Où es-tu ?

– À Paris.

– Je n'y comprends rien. Quel rapport avec toi, cette alerte ?

– Une conférence que je dois faire à São Paulo...

– Ah, je vois ! On a annoncé que tu annulais un voyage au Brésil ? Comme pour ta conférence au Cambodge ?

– Oui. C'est tout aussi incompréhensible.

– C'est peut-être toi qui l'as fait ? Tu deviens amnésique ? Ou un collègue qui te fait des blagues... As-tu pensé à ton ami Larry ?

– Il en est bien incapable ! Il est si malade...

– Quand comptais-tu aller au Brésil ?

– Dans huit jours exactement. Juste après mon audition à Princeton. Pourquoi ?

J'entends comme un grand éclat de rire dans le téléphone. Il semble prendre quelqu'un à témoin. Je crois deviner :

– Papa prévoyait d'être au Brésil le 16. Je lui dis ?

Je ne perçois pas la réponse. Che rit de plus belle :

– Le message dit vrai !

– Pourquoi ?

– Le 16, tu ne seras pas au Brésil.

– Et pourquoi donc ?

Je tourne à gauche dans la rue de Rivoli. J'avance vers la Concorde.

– Parce que ton fils se marie ce jour-là. On vient juste d'en finir avec les formalités et de fixer la date.

– Incroyable ! J'apprends donc le même jour que tu as une petite amie et que tu te maries ? !

– Papa... un petit ami.

Je m'aperçois que je l'ai toujours su sans vouloir l'admettre. Voyant pour les autres et aveugle pour moi. Prescient et inconscient. Et cela m'est indifférent.

– Ah... Je le connais ?

– Tu l'as croisé. C'est Samuel Devon, un des profs de mon école... C'est à cause de lui que... Tu n'es pas fâché ?

– De quoi ?

– De ce que je ne t'en aie pas encore parlé ?

– Comment t'en vouloir ? Je suis si heureux que tu le sois. Rien d'autre ne compte pour moi. Te savoir heureux me suffit. Même si j'en veux à celui qui t'a fait souffrir. C'est la meilleure raison du monde pour reporter ce voyage au Brésil. Et puis il y a tant de choses à propos desquelles je m'en veux, moi aussi, de ne pas t'avoir parlé.

– Tu m'inquiètes. Je suis là, tu sais : on parlera de ce que tu voudras, quand tu voudras. Je sais que tu ne diras rien, mais sache au moins que je peux tout entendre. Tu as quelque chose d'autre à me confier ?

– Pas maintenant. Je viendrai, évidemment, le 16. Je reporte mon déplacement au Brésil. Mais... comment quelqu'un savait-il déjà que j'annulerais ? À qui as-tu déjà parlé de ton mariage ?

– À personne ! Samuel non plus. Même pas encore à sa famille. Sauf à la mairie. Et on n'a fixé la date que ce matin. Tu es le premier à savoir. C'est incroyable !

J'arrive place de la Concorde. Une vision est sur le point de se déclencher. Non... Non, pas maintenant ! Me calmer. Je dois trouver où m'asseoir. J'entre à l'hôtel de Crillon, qui vient de rouvrir après plus d'un an de restauration. Je m'assieds au bar, à droite de l'entrée. Je me sens déraper... Trop d'émotions, ce soir : avoir fait l'amour avec Yse, le mariage de Che, le message de São Paulo...

Encore ces visions de mort. Des centaines de cadavres. Des voix inaudibles. Me maîtriser. Compter. Convoquer la musique. Je ne peux le faire tout en téléphonant. Je ne veux pas que mon fils perçoive mon trouble. Il pourrait croire que c'est à cause de son mariage. Raccrocher calmement. Ma voix est altérée. Me contrôler. Penser musique. Écarter la vision. J'espère qu'il ne se rend compte de rien.

– Che, je dois te laisser.

– Papa ? Pour mon mariage, tu devines bien que je vais inviter maman.

– Ça ne me gêne pas. Ta mère sait-elle que…

– Quoi ?

– Que tu aimes les hommes ?

– Oui. Enfin, elle a deviné.

Décidément, que de choses Tina savait sans me le dire…

Après avoir raccroché, je lis, parmi les mails arrivés pendant ma conversation avec Che, un message de Princeton : le professeur Larry Snower est mort ce matin 8 février à 10 heures, heure locale. Il y a donc cinq heures de cela. Ses deux fils étaient à son chevet. Trois jours après la publication de sa notice nécrologique. Une fois de plus, le faux est devenu le vrai.

CHAPITRE 9

Princeton

Larry sera enterré demain 10 février, vers 15 heures, au cimetière de Princeton. Obsèques laïques, expéditives : décision de ses enfants. Impossible d'arriver à temps. Plus aucun avion ne part cette nuit de Paris pour New York. Je prendrai donc le premier vol de demain matin : arrivée à Kennedy Airport vers midi ; je serai à Princeton au plus tôt vers 16 heures. L'inhumation aura déjà eu lieu. Et encore, si le vol ne connaît pas de retard, comme il est probable en raison de la tempête de neige annoncée à Paris comme à New York.

Ce matin du 10 février, deux heures de retard au décollage. Une fois de plus, manque de moyens de dégivrage à Roissy. Je ne serai pas à Princeton avant 18 heures. Plus question d'espérer être à temps pour les obsèques.

Durant le vol, mes visions se déclenchent à nouveau, plus précises et horribles que jamais : je vois des pendus, des fosses communes ; j'entends des cris de femmes et d'enfants, des rafales de mitraillette. Et puis des lance-flammes. Toujours impossible de localiser l'endroit et les langues utilisées. Est-ce l'avenir qui s'annonce sous ces couleurs ? Qui peut laisser advenir une horreur pareille sans réagir ?

Compter les rayures ou quoi que ce soit d'autre n'est plus efficace. Il me faut maintenant de la musique. Puisée dans la même liste d'œuvres, surgie comme l'autre jour de nulle part, la seule qui écarte mes visions : cette fois, il me faut l'adagietto de la Cinquième Symphonie de Mahler, puis les *Métamorphoses* de Richard Strauss. J'essaie de comprendre pourquoi la musique a soudain resurgi dans ma vie. Et pourquoi ces œuvres seules reviennent à ma mémoire. Alors que, depuis que mes troubles ont commencé, il y a maintenant quelque vingt ans, je n'écoutais plus une seule note...

Dès mon atterrissage à Kennedy, je guette en vain un message d'Yse. J'hésite à lui téléphoner ou à lui écrire. Je lui envoie juste quelques points de suspension pour lui signifier que je pense à elle et ne sais trop que dire de plus... J'appelle Pedro Morales à São Paulo. Je lui explique que je dois en effet reporter mon voyage, prévu pour la semaine prochaine, en raison du mariage de mon fils à la date fixée pour la tenue de son séminaire. Il le prend mal : il en était déjà informé par la presse, il m'en avait parlé et j'avais démenti ; j'avais donc annulé l'hôtel il y a déjà plusieurs jours sans avoir eu alors le courage de l'en prévenir ? Ce n'est pas bien ! Je lui assure que ce n'est pas vrai : mon fils vient tout juste de me faire part de son mariage et je ne suis pour rien dans l'annonce prématurée d'une annulation que je n'avais pas encore décidée. Il ne me croit évidemment pas. Comment lui faire admettre l'impossible ? Qui le croira jamais ?

En traversant en taxi le New Jersey pour gagner Princeton, je constate que, même ici, le climat a changé. Partout des drapeaux : sur les façades des maisons, au fronton des églises, en devanture des magasins, aux carrefours. En écoutant la radio, je comprends que, ce matin, le président Obama a demandé au Congrès de l'autoriser, en vertu du traité de San Francisco et de celui de 1960, à engager la flotte du Pacifique dans des affrontements avec tout ennemi du Japon, et à engager celle de la Méditerranée en soutien des forces terrestres américaines déjà présentes à Diyarbakir, capitale du Kurdistan turc, et à Erbil, capitale du Kurdistan irakien, dont le gouvernement annonce qu'il mobilise plus d'un million d'hommes pour parer à toute éventualité face aux Syriens et aux Iraniens. Le Premier ministre turc, Recep Tayyip Erdogan, de plus en plus déstabilisé par la corruption de son administration, de ses ministres et de ses plus fidèles partisans, décrète la mobilisation générale. Les Russes préviennent qu'ils feront jouer leurs alliances avec leurs amis iraniens et syriens contre les Turcs et les Irakiens, et donc contre les Américains. On apprend que l'envoyé du secrétaire général de l'ONU, Mark Diffenthaler, se trouve à Ankara après s'être rendu à Erbil, Diyarbakir, Damas et Téhéran, et qu'il s'apprête à rentrer à Genève pour annoncer une nouvelle initiative sur la question kurde.

Un professeur de Harvard tente d'expliquer les différences entre les diverses tribus et langues de ces régions que les Américains ne connaissent nullement. Il rappelle que certaines villes disputées aujourd'hui par toutes les armées existent depuis six millénaires, et que les peuples dont il s'agit ont une très longue, immémoriale histoire. En particulier le peuple kurde, qui fut le pire ennemi des anciens Grecs sous le nom de Mèdes. Ce à quoi l'on assiste, dit-il, n'aurait pas eu lieu si l'on avait créé en 1920 un État national kurde, comme le prévoyait le traité de Sèvres, signé au lendemain de la Première Guerre mondiale entre les puissances alliées et le sultan Mehmed VI ; traité déchiré l'année suivante par le gouvernement kémaliste et remplacé, trois ans plus tard, par celui de Lausanne.

Un autre spécialiste, professeur à l'université Johns Hopkins, explique qu'il est de l'intérêt vital des Américains de ne pas laisser le chaos s'installer dans cette région, en raison des risques de contagion à l'Égypte et aux émirats du Golfe, ce qui menacerait les intérêts pétroliers des États-Unis à un moment où les réserves de gaz de schiste sur leur territoire se révèlent nettement moins prometteuses que prévu.

L'économiste new-yorkais Nouriel Roubini, bien connu pour son pessimisme, prédit que le déficit américain va se remettre à croître et que le dollar va plonger. La présidente de la Fed, Janet Yellen, déclare qu'elle relèvera, si nécessaire, les taux d'intérêt. Dans son blog quotidien du *New York Times*, le prix Nobel d'économie Paul Krugman explique qu'une telle hausse bloquerait toute velléité d'investir et entraînerait l'effondrement de la fragile reprise actuelle, non seulement aux États-Unis, mais dans le reste du monde ; par ailleurs, il dénonce les fortunes que la tension internationale va générer, en particulier parmi les actionnaires des entreprises d'armement.

En Asie, le nouveau Premier ministre japonais, l'extrémiste Shintaro Ishihara, annonce que la propriété des îles Senkaku va être bientôt transférée au gouvernement régional de Tokyo, et qu'elles seront aménagées en base militaire. Le président chinois Xi Jinping réplique qu'une telle action constituerait, de la part du Japon, une véritable déclaration de guerre. À Pékin, d'immenses manifestations se sont déroulées, hier, pour la récupération de l'archipel contesté. L'Indonésie, particulièrement menacée par la pollution marine venue de la centrale nucléaire de Fukushima, prend le parti de la Chine.

Le secrétaire général des Nations unies propose ce matin comme solution intermédiaire que ces îles soient provisoirement transférées à une fondation humanitaire japonaise, et que la question soit ensuite soumise à la Cour internationale de justice. Chinois et Japonais rejettent cette option.

La France, dont l'essentiel des troupes opérationnelles se trouve encore en Afrique de l'Ouest, envoie son seul porte-avions au large des côtes libanaises. Le président français reçoit aujourd'hui les dirigeants de l'opposition. Jusqu'ici tout à la crise qui secoue l'euro, les médias européens commencent à s'intéresser à ces deux conflits exotiques qui, à ce jour, ne réussissaient pas à faire leur une. Enfin l'Inde, demeurée jusqu'ici extérieure à l'un et l'autre foyers de crise, semble gagnée par la violence : à la suite de l'assassinat par de jeunes musulmans de quatorze pèlerins, à proximité de la ville sainte de Vârânasî, des échauffourées entre hindous et musulmans y ont fait plusieurs centaines de victimes. Décidément, le monde entier paraît sur le point de s'embraser.

Vers 18 heures, ce 10 février, alors que mon taxi pénètre enfin sur le campus de l'Institute for Advanced Study de Princeton, la radio de la voiture diffuse *Perfect Day*, de Lou Reed, la chanson préférée de Larry.

Au cimetière, plus personne évidemment. Je demande l'emplacement de la tombe de Larry. Facile à reconnaître. Beaucoup de fleurs. Elle jouxte celle de sa femme, Edna, cette violoncelliste italienne de l'Orchestre symphonique de New York, morte il y a quinze ans. Elle était très amie de Martha, l'épouse de Mark, par qui je l'ai rencontrée. Martha est-elle venue ? Non, sans doute. Elle n'était pas restée proche de Larry après la mort d'Edna.

Que faire à présent ? Aller chez lui ? Retrouver ses enfants ? Je ne suis pas sûr d'être le bienvenu. Je préfère garder Larry pour moi seul.

En entrant dans le très confortable appartement que j'occupe ici, je trouve, déposées sur mon bureau par le concierge, les éditions originales de Lewis Carroll que Larry a dû demander qu'on me fasse porter. Que des merveilles. Ne pas pleurer… Réussir, pour Larry.

Je m'enferme pour préparer l'audition d'après-demain. La création d'un département d'ethnomathématique à Princeton : est-ce bien cela que je veux faire de ma vie ? Ou est-ce, encore une fois, ce que d'autres ont voulu pour moi ? J'entends encore Yse : « Notre vie, disent-ils… »

Yse, qui me laisse sans nouvelles et qui me manque tant. Larry… Lors de notre ultime conversation, il m'avait dit : « Si tu ne souhaites pas vraiment ce poste, ils le sentiront, et tu ne l'obtiendras pas. » Pour lui, je dois l'obtenir, quitte à le refuser ensuite. Pour me soustraire enfin à toutes ces décisions dictées d'ailleurs.

12 février, 6 heures du matin. Mon audition dans trois heures. En allumant mon portable, je trouve un message de Che et un autre d'Yse. Je sursaute de bonheur. Même message : « Je pense à toi. » Che ajoute : « Je suis fier de

toi », et Yse : « Je pourrais être amoureuse de toi. » Elle, amoureuse ? Impossible ! Elle ne cherche qu'à me préparer à ce qu'elle aura à me demander. Mais quoi ? Et puis... Pourquoi pas ? Elle ? M'aimer ? Trop beau ? Je jubile... N'y pas penser, me lever, bouger. Je réponds à Che : « Merci d'être là. » Et à Yse : « Je pourrais aussi vous aimer. » Me revient à l'esprit la phrase de Nietzsche que Larry aimait tant à citer : « Première pensée de la journée : que puis-je faire pour faire plaisir à quelqu'un ? » Aujourd'hui, c'est à lui, Larry, que je dois faire plaisir. Le tour d'Yse viendra demain...

Neuf heures : je pénètre dans la bibliothèque de l'université. Devant moi, un aréopage impressionnant : le président de l'université, les membres du conseil d'administration, les responsables de la fondation et du mécénat, quelques grands donateurs, les gestionnaires, mes pairs du département de mathématiques, quelques professeurs d'autres disciplines. Trois rapporteurs.

L'enjeu est, pour eux, d'importance : il s'agit, à l'occasion de la création d'un nouveau département, de choisir entre quatre projets. Je passe en premier.

Un charnier sous la neige. Des cris. Des soldats qui courent en tous sens et frappent des enfants. Des vieillards qui supplient. Un grand bûcher. De très hautes flammes. La fournaise. Mes visions reviennent, plus précises encore. Au plus mauvais moment. Je ne vais pas pouvoir ouvrir la bouche. Les voix sont plus distinctes, les uniformes plus faciles à observer, mais rien n'est encore identifiable. Compter... Non, compter ne me calme plus. Panique. Entendre de la musique. Je convoque en ma mémoire l'air final de la Maréchale dans *Le Chevalier à la Rose* : « *Marie Theres' ! / Hab' mir's gelobt.* » Comment se fait-il que ces paroles me reviennent en allemand alors que je ne parle pas cette langue ?

Mes visions s'estompent et s'éloignent. Je regarde l'auditoire, surpris par mon long silence. Et commence...

D'abord rappeler que mon objectif n'est pas d'exposer ici des solutions à des problèmes, ni des résultats de recherche, mais un programme de travail destiné à des chercheurs qui seront associés à un nouveau département à créer au sein de la faculté, lequel serait nommé « département d'ethnomathématique ». Puis rendre hommage à Larry Snower, mon maître (ils étaient tous à ses obsèques, pas moi...), à qui je suis redevable de l'orientation de ma carrière, en particulier de mon intérêt pour les fractales, dès ma thèse soutenue en 1993, puis pour l'ethnomathématique à mon retour à Princeton après un passage comme professeur assistant à l'université de l'Ohio. Je sens planer une sourde hostilité : comment osé-je rendre hommage à quelqu'un que je n'ai pas même accompagné jusqu'à sa dernière demeure ? Je passe outre.

Je rappelle que la faculté de médecine de l'université a décidé, il y a trois ans, après maintes discussions, de créer un département en charge des médecines traditionnelles, et qu'elle s'en porte fort bien, puisque de nombreuses autres universités de l'Ivy League ont suivi depuis lors son exemple ; que plusieurs centaines de chercheurs se sont portés candidats à ce département ; que dix-huit entreprises y ont déjà été créées, et plus de cent brevets déposés.

J'explique qu'il en ira bientôt de même en mathématiques, car il existe, en de multiples endroits du monde, des mathématiques fondamentales théorisées bien avant et autrement que leurs homologues occidentales ; des mathématiques qui élaborent et manient les concepts autrement que les nôtres ; parfois même beaucoup mieux. De très nombreuses civilisations – pas seulement l'égyptienne ou l'athénienne – ont fondé leur pensée sur l'idée que tout était réductible à des nombres. Des modes de calcul s'y sont développés pour mesurer le monde, résoudre des problèmes concrets tels que ceux de l'urbanisme, de la mesure du temps, de l'astronomie. Je souligne qu'il est urgent de faire revivre ces savoirs pour y trouver, comme en médecine, des sources d'inspiration aidant à résoudre des problèmes d'une brûlante actualité.

J'explique que l'ethnomathématique étudie comment les hommes ont inventé diverses façons de compter en utilisant les lettres, comme chez les Romains, ou des nombres de base 60, comme en Mésopotamie, ou encore de base 20, comme chez les Mayas ; ou en utilisant les espaces entre leurs doigts, comme les Yukis de Caroline du Nord, ce qui revient à se fonder sur une base 8. Je rappelle comment tous ces peuples ont conçu des jeux mathématiques qui renvoient à des théorèmes sophistiqués, comme les chemins eulériens, ou des jeux raffinés, comme les échecs ou le gô. Des jeux qui, tous, font appel à une capacité d'anticiper la réaction des autres, de deviner une fraction de l'avenir, synthétisée par le comportement des autres joueurs...

J'explique ensuite (en recourant à des notions beaucoup plus abstraites que celles dont je me suis servi à Genève il y a exactement vingt-deux jours : que de choses se sont passées depuis lors...) que les Africains ont inventé et utilisé une forme mathématique très particulière, les fractales, bien avant que le Français Benoît Mandelbrot ne les théorise, voici quarante ans. Je souligne que j'ai pu moi-même me rendre sur le terrain, en Afrique, grâce à une bourse de cette même université. Je montre que si les Chinois se servent surtout de l'octogone dans leur architecture, c'est que le nombre huit est la clé de leur système de prophétie (tout comme il l'est pour les chrétiens). Pour leur part, les Africains usent souvent, aux mêmes fins, des fractales. Je cite d'innombrables cas que je n'ai pas évoqués dans mon exposé genevois : les villages de Logone Birmian et Banyo, au Cameroun ; de Labbe Zanga, au Mali ; de Batammaliba, au nord du Ghana. Je rappelle qu'on trouve aussi des fractales dans des meubles et des paravents au Niger ; dans les bois sculptés des Bakinba du Zaïre ; dans les sculptures des Dogons au Mali ; dans les spirales du Ghana ; dans les têtes d'antilope des Kumbas, au Burkina Faso ; dans les tissus mandiako et mbuti, en RDC ; dans les parures nuptiales des Fulani, au Mali ; dans les étoffes rituelles des Tang et des Mitsogo, au Gabon ; dans les dessins lusona, en Angola.

Le chantier ainsi ouvert reste considérable. Cette nouvelle chaire s'emploiera, par un programme méthodique, à explorer les structures de l'architecture traditionnelle, en particulier en Afrique, en Amérique centrale, au Cambodge, au Bhoutan et dans les sociétés d'Océanie. Ces connaissances héritées des Anciens pourront être ultérieurement appliquées à l'architecture et à l'urbanisme modernes, débouchant sur une croissance urbaine économe en énergie et en ressources naturelles.

J'explique ensuite comment le code *bamana*, code de la divination chez les Bambaras et les Ifos du Nigeria (qu'on retrouve aussi dans l'ancienne Égypte et à Malagasy, en Inde), a réémergé bien plus tard, en Europe, chez Raymond Lulle, puis chez Leibniz, puis dans l'informatique moderne dont il constitue le fondement.

Et maintenant, le plus difficile : les théories du temps. Devant moi, aucun spécialiste de la physique de pointe. Presque personne, dans cette salle, ne connaît la façon dont les chercheurs, depuis un siècle, ont remis en question la conception intuitive du temps.

Je m'aventure donc avec prudence : on pourrait aussi étudier de même manière la conception du temps chez les Anciens, leurs théories sur le souvenir, la mémoire, l'avenir, le pressentiment, la prophétie, la prédiction, la divination, la prescience ; sans pour autant verser dans l'obscurantisme ou la sorcellerie.

J'explique : depuis Einstein, nous savons que l'espace et le temps forment quatre dimensions d'un même univers ; que celui-ci peut être représenté comme un tissu tendu, que viennent déformer planètes ou étoiles, qui sont comme des boules posées sur ce tissu. Ainsi, la présence de la Terre déforme le tissu de l'espace-temps, forçant la Lune à graviter autour d'elle. La physique quantique démontre que ce phénomène s'explique par une interaction gravitationnelle générée par l'échange de particules élémentaires. La théorie de la relativité et la physique quantique décrivent par là un moyen de déformer l'espace-temps ; et donc de faire en sorte que le temps se replie sur l'espace, ce qui revient à voyager en lui. La théorie le confirme : si la relativité restreinte interdit le retour dans le temps, en particulier la causalité inversée, la relativité générale indique au contraire qu'il existerait des configurations, dites « tunnels de ver », dans lesquelles il serait possible de revenir avant son moment de départ. Dans un article publié dans la *Physical Review* de juillet 2007, un physicien israélien, Amos Ori, a même décrit un modèle théorique permettant de voyager dans le passé sous certaines conditions initiales restant à définir. D'autres physiciens ont identifié des possibilités nouvelles, notamment l'utilisation de ce qu'ils appellent la « matière exotique », pour déformer l'espace-temps de façon à changer le sens de l'écoulement temporel. Même si la plupart des physiciens, comme Stephen Hawkins, soutiennent que le voyage dans le passé ne se fera jamais (sinon, on aurait déjà reçu la visite de nos descendants !), d'autres mathématiciens pensent que ce retour sera un jour possible, au moins jusqu'à la date d'invention du processus l'ayant permis. Autrement dit, si l'on découvre en 2100 comment revenir dans le passé, on pourra, en 3000, revenir jusqu'en l'an 2100, mais pas avant. Ce qui permettrait, en 2100, de tout savoir sur les deux siècles à venir ! Je ne leur explique pas, faute de temps, que tout cela se retrouve dans la théorie des fractales. Par ailleurs, les neurosciences progressent à grands pas, de leur côté, dans l'étude de la perception du temps – passé, présent, futur. Elles commencent à expliquer comment le cerveau perçoit en avance des événements futurs.

Si aucune théorie, aucune pratique d'un peuple premier ne donne à penser qu'il pouvait voyager dans l'avenir pour le modifier, certaines sagesses anciennes conduisent au moins à remettre en question la distinction entre présent et futur. Bien avant Einstein, elles ont perçu la relation entre temps et espace, et théorisé l'infiniment petit et l'infiniment grand. Bien avant Schrödinger, elles ont établi que le temps n'a pas de réalité indépendante de son observateur ; et, bien avant Eddington, elles ont compris que le futur n'est pas immuable, que nous ne nous y faufilons pas pour rejoindre un avenir qui serait déjà écrit. Bien avant les anciens Grecs, et encore bien davantage avant saint Augustin, des pensées anciennes savaient que la nature du temps ne peut se concevoir sans une réflexion sur la nature des nombres (irrationnels, « transcendants » ou « imaginaires »).

Pour donner un tour plus concret à mon exposé, je prends, sans trop m'étendre, l'exemple de la pensée hindouiste, ainsi que me l'a suggéré Larry ; j'explique le concept de *siddhi* (accomplissement), et j'évoque les « supra-savoirs » qu'il permet d'obtenir, dont l'un ouvrirait sur la faculté de voyager dans le passé et dans l'avenir.

En définitive, toutes ces sagesses professent que le temps n'est présent, passé ou avenir qu'en fonction du degré de conscience de l'observateur. Elles posent en outre des questions qu'on retrouve encore aujourd'hui dans les recherches les plus avancées : le temps a-t-il eu un commencement ? Si c'est le cas, que s'est-il passé avant ce début du temps ? Si ce n'est pas le cas, comment concevoir un temps infini dans le passé ? Et puis encore : qu'est-ce que l'instant ? Est-il différent de l'événement qui s'y déroule ? Peut-on empêcher le passé d'avoir eu lieu ?

Ces sagesses anciennes devraient donc permettre d'accomplir nombre de progrès dans notre connaissance, encore très sommaire, du voyage dans le temps. Elles ne pourront naturellement jamais permettre de modifier l'avenir, autrement que par l'action des hommes dans le présent. Mais elles pourraient conduire à des progrès considérables, en ouvrant à des pratiques mêlant mathématiques, physique, neurosciences et savoirs traditionnels. Et répondre à des questions comme : quel rapport entre les théories de la conscience et celles de la prescience ? entre les pratiques de la méditation et les neurosciences ? entre les processus neuronaux de création de concepts et les pratiques chamaniques ?

En conclusion, l'ethnomathématique n'est pas un prétexte destiné à servir le « politiquement correct » en s'intéressant aux cultures ancestrales des minorités, surtout afro-américaines, mais elle peut favoriser de réelles avancées dans la connaissance du monde.

Ce département pourrait se consacrer dans ses premières années aux problèmes du temps et de l'urbanisme ; puis traiter de l'astronomie, de la théorie des ensembles, de l'algèbre, de l'arithmétique. J'énonce enfin le budget dont j'aurai besoin. Je termine en expliquant qu'un tel département, créé au sein de la faculté de mathématiques de Princeton, constituerait une première mondiale, laquelle permettrait sans conteste de faire des découvertes aujourd'hui encore inconcevables. Celles-ci seraient à l'évidence utiles au rayonnement de l'université et donc propices à conforter son financement.

Je me tais, face aux membres du jury qui me remercient d'un geste ou d'un sourire aimable. Ils doivent maintenant auditionner les trois autres candidats, dont deux venus de l'extérieur. Chacun plaidera pour la création d'un département d'un tout autre genre. L'université n'a pas aujourd'hui les moyens d'en financer plus d'un.

Je sors serein de mon exposé. Pour la toute première fois, j'ai sincèrement envie d'obtenir ce poste. Pour Larry, mais aussi parce que je me suis convaincu moi-même de l'importance du projet : comme toujours, je ne comprends bien ce que j'enseigne qu'en l'enseignant.

Je regagne mon appartement, sur le campus, pour refaire ma valise : je repars ce soir même pour Paris, puis Lyon. Si l'université accepte ma proposition, je reviendrai ici et déménagerai pour une grande demeure hors du campus. Si Yse me rejoint... Plus question de rien imaginer sans elle... Je ne devine rien... Suis-je vraiment prescient ? C'est trop bête de s'emballer ainsi... Je réécoute en boucle *Perfect Day*, de Lou Reed. À nouveau, la musique répond en moi à un besoin. Depuis quand s'était-elle éloignée de moi ? Vingt ans au moins ? Depuis ma rencontre avec Tina. Est-ce elle qui m'a rendu la musique étrangère ? Ou bien serait-ce à l'occasion de mon retour à Princeton ? Mes visions ont commencé à se manifester au moment précis où la musique s'éloignait.

Serait-ce donc quand Tina est entrée dans ma vie ? Mais pourquoi ? Ce retour de la musique va-t-il me débarrasser de mes visions ? Pourquoi s'agit-il de ces œuvres-là en particulier ? Et pourquoi vois-je encore des flammes ? Pourquoi pensé-je dans le même temps à la Russie ? Est-elle l'épicentre du désastre à venir ? Serait-ce de la prescience ? Ne plus penser.

Faire ma valise. Repartir pour Lyon. Malgré la tempête de neige, les vols sont maintenus, moyennant de gros retards.

Yse me manque infiniment. Résister. Je regarde sans cesse mon téléphone. Elle ne m'appelle pas. Ne pas chercher à la joindre. J'appelle Che :

– Juste pour te dire qu'en raison du temps qu'il fait à New York, mon avion n'atterrira pas à l'heure prévue, mais je serai quand même là demain !

– J'espère bien !

– Tout est prêt pour ton mariage ? Toujours le 16 ? Dans quatre jours…

– Tu sais, ce sera on ne peut plus simple. Une brève cérémonie à la mairie, point final. Pour toi, tout s'est bien passé ?

– Quoi donc ?

– Mais ton audition ! Tu ne pensais qu'à cela, à Lyon !

– Tu es injuste ! J'étais tout le temps avec toi.

– C'est vrai. Disons que ça occupait le temps que je ne te prenais pas ! Ça s'est déroulé comme tu le souhaitais ?

– Très bien. En tout cas, ils m'ont écouté. Et j'étais si persuasif que je me suis convaincu moi-même ! Je crois que j'aimerais bien, en définitive, obtenir ce poste. Dis-moi, pour ton mariage… ta mère vient accompagnée ?

– Non. Je l'ai persuadée de venir seule. Je n'aurais pas trouvé cela très décent.

– Tu es gentil. Mais si c'est mieux pour elle de venir accompagnée, cela ne me dérange pas… C'est une vieille histoire, maintenant.

– Tu es libéré d'elle ? Tant mieux ! Tu es à nouveau amoureux ?

– C'est possible… C'est possible…

– Oh, comme j'en serais heureux ! Tu sais, j'ai raconté à maman ce qui t'est arrivé, à Lyon.

– Quoi ? Qu'est-ce qui m'est arrivé ?

– Tes visions. Elle m'a encore demandé si j'avais les mêmes que toi. Elle craint que ce ne soit héréditaire.

– Comment ça ?

– Elle estime que ces visions sont la manifestation d'un secret de famille, et que tu me l'auras transmis.

– Un secret de famille ? Qu'est-ce que ça veut dire ?

– Elle n'en sait trop rien, mais cela l'inquiète.

– Ta mère s'inquiéterait pour moi ? Première nouvelle ! Tu lui as répondu quoi ?

– Je lui ai dit que tu te soignais désormais par la musique. Elle m'a demandé laquelle. Quand j'ai dit que c'était du Mahler et du Strauss, elle a paru étonnée. Elle m'a demandé des précisions.

J'ai dit qu'il s'agissait en particulier de l'adagietto de la Cinquième de Mahler, du dernier acte du *Chevalier à la Rose* et des *Métamorphoses* de Strauss. C'est bien cela ? Elle a paru surprise : « Tu es sûr ? Ça alors ! » Tu peux m'expliquer pourquoi elle a semblé abasourdie ?

– Pas du tout. Je n'ai jamais écouté de musique et encore moins parlé musique avec elle ! D'ailleurs, c'est depuis qu'elle est entrée dans ma vie que je n'en écoute plus, et que, coïncidence ou pas, les visions ont commencé. J'ai même pensé qu'elle y était pour quelque chose…

– Certainement pas ! La preuve en est que tes visions n'ont pas cessé quand nous sommes nés, ni quand She est morte, ni quand vous vous êtes séparés !

– Elle n'a peut-être fait que déclencher un phénomène latent… Du reste, tout s'accélère depuis peu. Les visions se font de plus en plus précises, sonores, horribles… comme si cela voulait signifier que ce qu'elles montrent devient de plus en plus imminent.

– Ne gâche pas ma fête ! Dans quatre jours, je me marie et n'ai aucune envie de penser à la guerre ou à tout ce que racontent les journaux. Je ne les lis plus, d'ailleurs, et tu ferais bien d'en faire autant ! À demain, je te laisse : encore pas mal de choses à faire !

Je boucle mon appartement et quitte Princeton pour gagner l'aéroport. Reviendrai-je ? Pas si le département n'est pas créé.

Tandis que mon taxi parcourt les routes enneigées du New Jersey et que je résiste encore à appeler Yse, cinq mails aussi insolites que farfelus me parviennent en rafale, décrivant des bouleversements à venir dans mon agenda :

Le professeur Gédéon Strauss, mon collègue et ami de l'Université hébraïque de Jérusalem, m'écrit que je n'aurais pas dû accorder une interview au *Jerusalem Post* pour annoncer mon prochain voyage dans sa ville, le 25 février. C'est lui que j'aurais dû prévenir en premier lieu ! Or il n'est pas prévu que je m'y rende…

Cynthia Lauder, ethnologue australienne, m'écrit de Canberra, où je dois aller fin mars étudier la symbolique mathématique des peintures aborigènes, pour s'étonner ne pas avoir été informée que je reportais mon voyage, comme annoncé par moi au *Canberra Herald*.

Un mathématicien tchèque, Klaus Havel, m'apprend que, d'après un journal local, j'aurais annulé ma venue à Prague, dans son université, prévue pour juin.

Horst Telher, grand mathématicien allemand, est surpris de lire dans la *Frankfurter Zeitung* que je ne viendrai pas en juillet à Heidelberg participer au séminaire où je devais être le « discutant ».

Enfin un professeur moscovite, vexé de ne pas l'avoir reçue, me transmet une interview que j'aurais donnée à un journal russe, le *Kommersant*, pour faire part de l'annulation de ma venue, prévue en septembre, à l'occasion de la publication de la traduction de mon essai sur *Les Théories topologiques des fractales*.

Et chaque fois que tel ou tel événement scientifique plutôt confidentiel figure dans les médias, c'est parce qu'il est associé à l'annonce de ma mort ou de quelque mystérieux empêchement. Pour ce qui est de Jérusalem, le journal israélien précise que je m'y rendais « pour préparer mes propres obsèques » ! Qui sait même que j'y ai acheté un caveau ? ! À chaque fois, on laisse aussi entendre que je viens de partir toutes affaires cessantes pour... Vârânasî, en Inde.

Vârânasî ? Quelle idée ! Absolument aucune raison d'y aller. Au surplus, ce n'est pas vraiment le moment, avec les émeutes et les massacres qui viennent de se dérouler dans la région !

Qui se mêle ainsi de jouer avec mon emploi du temps ? Qui peut trouver plaisir à se faire passer pour moi partout à travers le monde ? Je ne vois personne capable de faire ça. Hormis Yse, peut-être ? Mais elle n'est pas au courant de tous ces détails !... Pourquoi Mark m'a-t-il demandé de me méfier d'elle ?

Elle me manque. Pour la première fois depuis que Tina m'a quitté, voilà que quelqu'un me manque. Je me défends de penser à elle, à ses caresses... Téléphoner ? Lui écrire ? Ne pas y succomber. Écrire incite à exprimer des sentiments. Ne pas écrire aide à supporter l'absence.

Alors que j'approche de Kennedy Airport, mon téléphone vibre. Je sursaute : Yse, qui m'appelle sur FaceTime. Décidément, elle s'annonce toujours en pensée avant même d'appeler. À moins que je ne pense si souvent à elle que son appel soit à tout moment prévisible ?

Je la vois très bien sur mon nouveau téléphone 5G. Elle semble chez elle, à Genève, installée dans un grand fauteuil, à peine vêtue d'une courte robe noire. Elle dit :

– Bonjour, toi. J'espère que je t'ai manqué comme tu m'as manqué... Tu aurais pu me donner de tes nouvelles.

– Je n'ai pas osé. Sinon, je t'aurais déjà appelée mille fois...

– Tu m'aurais fait mille fois plaisir... Comment s'est passée ton audition ?

– Bien. J'ai pu exposer mes idées. De façon beaucoup plus théorique qu'à Genève il y a trois semaines. Seulement trois semaines : tu te rends compte ?

– Mille ans, en fait. Voilà, maintenant, j'ai vraiment besoin de toi. Et lui aussi.

– Qui, lui ?

– Mon frère ! Il a besoin de toi d'urgence.

C'était bien cela... Son frère... Mais ? J'interroge :

– Comment le sais-tu ?

– Il me l'a dit, hier.

– Tu lui as parlé hier ? Je croyais qu'il avait disparu depuis un an.

Elle semble hésiter.

– Oui. Il a repris contact avec moi...

Elle hésite encore et ajoute :

– Il n'a jamais rompu, en fait.

Elle m'a donc menti ? Tout ce qu'elle m'a dit est donc faux ? Rien n'est plus certain. Ce Jonasz est-il d'ailleurs son frère ?

– Comment puis-je croire le reste ? Comment te croire quand tu me parles d'amour ?

Elle semble accuser le coup. Ai-je visé juste ? Elle répond, sèche :

– Si tu penses cela, on ne se voit plus. Reste dans ta petite vie. Je m'arrangerai autrement.

Non, non, pas ça... J'ai eu tort.

– Yse, s'il te plaît, je ne voulais pas dire cela. Mais comprends ma surprise...

– Je ne pouvais pas tout te dire, la première fois. Au reste, toi non plus, tu ne m'as pas dit toute la vérité !

– Comment ça ?

Elle s'approche de la caméra et sourit :

– Tu veux que je te parle d'Evlyn et de votre week-end à Rome pendant que je t'attendais à Paris ? De la tentative de suicide de ton fils ? De ton absence à Princeton, aux obsèques de ton meilleur ami ?

– Comment es-tu au courant de tout cela ?

– Peut-être bien que tu me l'as dit, peut-être bien que je l'ai deviné. Peut-être parce que mon frère...

– Ton frère ! Comment aurait-il su ?

– Peu importe... Tu as toujours les deux foulards que je t'ai laissés ?

– Oui. Je les ai gardés… Pourquoi ?

– Ils te serviront bientôt. Ils seront comme un signal…

– Un signal ?

– Dans la légende de Tristan et Yseut, une voile blanche annonce qu'Yseut accepte de secourir Tristan ; la voile noire indique qu'elle refuse de lui venir en aide.

– Qu'arrive-t-il, alors ?

– Il y a bien des versions. Disons que dans l'une la voile est noire par suite d'un malentendu, et Tristan se suicide. Yseut meurt de chagrin. Mais il est d'autres variantes…

– Quel rapport avec nous ?

– Quand on se retrouvera, je sais que tu devras aussi choisir un des deux foulards… Je ne sais pas encore pourquoi… Bien des choses se seront passées d'ici là… Pour l'instant, il te faut d'abord aller voir mon frère. Toi seul peux l'aider. Il a besoin de toi pour vivre avec sa prescience, l'orienter vers le bien, ne pas en souffrir. C'est très urgent. Tu sais combien c'est douloureux d'être « prescient ». Tu sais à quel point cette faculté isole celui qui sait et ne peut dire. Toi seul peux lui expliquer comment la maîtriser, l'orienter dans la bonne direction.

Ne pas lui dire que, dans une salle de cours, je les vois tous morts : tous les auditeurs. Ne pas lui dire… que la prescience est insupportable.

Je reprends :

– Tu exagères mes pouvoirs. Mais toi, tu es « presciente » ! Pourquoi ne t'en occupes-tu pas toi-même ?

Elle éclate de rire :

– Moi, « presciente » ? Les femmes le sont toutes ! Il leur suffit d'un peu de curiosité. Mais ma prescience à moi est limitée aux événements personnels et ne s'exerce qu'avec quelques minutes d'avance... Plus c'est loin dans le temps, plus c'est vague... La tienne, la sienne embrassent bien davantage. Vous visualisez tous deux l'avenir du monde, n'est-ce pas ? Va le retrouver, je t'en prie, c'est devenu urgent : je sens qu'il va commettre une énorme bêtise.

– Où est-il ? En Inde ? Ou bien était-ce encore un autre mensonge ?

– Il est à Vârânasî.

Vârânasî ! Là où les messages reçus tout à l'heure ont annoncé à l'unisson que j'allais me rendre. Ce n'est pas possible ! Qui joue à ce jeu avec moi ?

– À Vârânasî ?

– Cela t'étonne ? Pourquoi ?

– Pour rien.

– Vas-y ! Je l'ai convaincu de te rencontrer.

J'hésite : quel piège me tend-elle ? Sans doute serait-ce pure folie. Mais cela m'aiderait peut-être à débrouiller cet écheveau d'énigmes ? Pourquoi pas ? Après le mariage de Che ? Pour une fois, oser faire quelque chose d'imprévu ? Non, cela n'a aucun sens. Ma vie est ailleurs...

– Tu iras ?

Elle insiste et minaude, comme une fillette capricieuse :

– Tu iras ? Si tu n'y vas pas, je ne te verrai jamais plus…

Elle s'éloigne de la caméra, découvre ses jambes, laisse glisser une bretelle de sa robe et murmure :

– J'aimerais que tu sois là.

– Comme j'aimerais y être, moi aussi… Tu as parlé de nous à Mark ? Tu renonces à lui ou à moi ?

– La bigamie ne t'amuse pas ? Ça tombe bien : moi non plus ! Écoute, il est vrai qu'au début je jouais avec toi, parce que j'avais besoin de toi. Et je ne joue plus. Je romprai avec Mark. Il rentre demain de sa tournée au Kurdistan. J'ai l'impression que ça s'est mal passé. Il m'a dit qu'il est en grave désaccord avec le secrétaire général. Il avait une drôle de voix, bouleversée. Il m'a proposé de partir dans deux jours pour gravir le Cervin. Cela nous prendra deux jours au moins. Bien plus difficile que notre promenade dans l'Eiger. J'irai, et lui dirai après que tout est fini entre nous.

Un pincement de jalousie. Je n'en montre rien.

– Sur quoi porte son désaccord avec le secrétaire général ?

– Je ne le lui ai pas demandé. Tu n'es pas heureux de ma décision ? Je vais le quitter. Tu ne dis rien ? Il a prétendu qu'il allait s'occuper d'autre chose que du Kurdistan. Il ne m'a pas expliqué quoi.

– Vous avez un guide, au moins ?

– Pas besoin de guide ! C'est Mark, le guide : c'est un formidable alpiniste.

– Vous partez quand ?

– Après-demain. Nous serons au sommet d'ici à quatre jours.

Le jour du mariage de Che.

– Oui, le jour du mariage de ton fils.

– On dirait que tu lis dans mes pensées. Comment fais-tu ?

– Cesse de poser ce genre de questions... Tu iras voir mon frère à Vârânasî après le mariage de ton fils, n'est-ce pas ? Il dit qu'il ne peut te voir qu'avant la fin de février. Après, il ne garantit plus rien. J'ai peur qu'il ne fasse...

– Quoi donc ?

– Je ne sais pas. Je ne vois rien... J'ai peur, c'est tout. Tu iras, n'est-ce pas ? Après, nous serons toujours ensemble...

– Écoute, je ne sais pas si j'irai, on en reparlera. Fais attention à toi durant cette ascension. Tu as vraiment besoin d'accompagner Mark ?

– Ta prescience te dit que je risque un accident ?

– Je ne vois pas ces choses-là. Je ne discerne que l'imminence d'une catastrophe mondiale... Tu me donneras de tes nouvelles en rentrant ?

– Je te rappellerai, pour te dire où rencontrer Jonasz...

– Je ne t'ai pas encore dit que j'acceptais d'aller le voir !

Elle tend la main vers moi. Nos doigts se frôlent sur l'écran de mon téléphone.

Mon taxi est arrêté à l'aéroport devant la porte d'enregistrement des avions d'Air France. Le chauffeur se retourne et semble s'impatienter.

Sur l'écran, Yse me sourit. Un doux silence s'instaure. Je lui dis :

– Je n'ai pas envie de te perdre une nouvelle fois.

Elle murmure :

– Connais-tu Harold Garfinkel ?

– Non. Qui est-ce ?

– Un sociologue américain mort il y a quatre ans. C'était l'un des rares penseurs de l'habitude.

– Pourquoi me parles-tu de lui ?

– Parce que tu me dis que tu n'entends pas me perdre *une nouvelle fois*. Cela me rappelle qu'il écrivait qu'il ne fallait pas s'installer dans des habitudes, que « toute rencontre doit être une première fois ». Alors, quand tu me dis que tu n'as pas envie de me perdre une nouvelle fois, je te réponds que j'aimerais te rencontrer « pour une autre première fois ». Ça te va ?

Oui, c'est cela, très chère Yse, c'est décidé : notre vie ne sera plus désormais qu'une succession de premières fois.

Un peu plus tard, dans le salon d'attente, juste avant l'embarquement, un appel d'Evlyn, pour une fois sur Skype. Je décroche. Elle est au théâtre Hébertot, à Paris, où elle répète. Elle dit, toute souriante :

– Je ne te dérange pas ? J'ai une bonne et une mauvaise nouvelle pour toi. Tu préfères laquelle d'abord ?

– La mauvaise.

– Finalement, je ne sais trop laquelle sera pour toi la bonne ou la mauvaise ; tu trouveras peut-être que ce sont toutes les deux de mauvaises nouvelles.

– Dis toujours !

– Je te les livre en vrac. *Primo*, je suis enceinte. *Secundo*, ce n'est pas de toi.

Je pense aussitôt : de qui ? du directeur du théâtre de Vidy ou de son mari ? d'un autre encore ? Elle reprend :

– Alors ? Laquelle, pour toi, est la plus mauvaise ?

Je lâche, pour une fois sincère :

– À bien y réfléchir, ce sont l'une et l'autre de bonnes nouvelles.

CHAPITRE 10

Venise

Pendant la deuxième heure du vol New York-Paris, en cette nuit du 12 au 13 février 2015, des vents d'une force exceptionnelle secouent l'avion, comme si les éléments se liguaient pour me faire arriver plus vite au mariage de mon fils. Je suis encore envahi de visions plus précises, plus horribles et bruyantes que jamais : des femmes pourchassées et violées, des enfants pendus, des vieillards jetés tout vifs dans des fosses communes, des jeunes gens précipités sur des bûchers.

L'image se précise, comme une fractale qui s'affine.

Compter ne m'est plus d'aucun secours. La musique parvient encore à m'apaiser ; toujours les mêmes œuvres, enregistrées sur mon téléphone et que, ne cessant de les réentendre, je peux chanter par cœur, comme si elles resurgissaient du fond de ma mémoire. Pourquoi ? Il faudra bien que je comprenne…

Le vol est de plus en plus perturbé. Je ne ferme pas l'œil, même quand je réussis à échapper à mes visions. Yse occupe mon esprit. Je dois résister. Seul du mal peut venir d'elle. Je n'irai pas à Vârânasî. Plus question de me soumettre aux volontés d'une femme. Si l'on m'accorde la création et la direction de ce nouveau département à Princeton, je les prendrai. Cela vaudra mieux pour moi que n'importe quel autre projet… Sans Yse.

En arrivant à Roissy ce 13 février vers 9 heures du matin, en avance sur l'horaire prévu, je reçois sur Twitter un message signé d'un homonyme à une lettre près, Tristan Signer, annonçant ma venue à Venise le 19 février prochain « pour les obsèques d'un ami ». Rien de plus. Une mauvaise plaisanterie, à l'évidence. D'ailleurs, je ne connais personne à la cité des Doges. Qui se moque ainsi de moi ? Qui a pris mon nom pour créer un compte Twitter ?

Plus sérieusement, je reçois de l'administration de Princeton la nouvelle que mon audition s'est très bien passée et que je décrocherai probablement le poste ; une bouffée de joie m'envahit. Je ne m'attendais pas à m'en trouver si heureux.

Je réintègre avec nostalgie l'appartement de la rue de Tournon. J'aime cet endroit si plein de souvenirs de mon enfance. Je m'y sens bien. En chacun de ses recoins revit un moment heureux passé avec mes parents. Et, maintenant, de ces heures dans les bras d'Yse.

Aucune envie de la perdre. Ce voyage à Vârânasî est-il vraiment, comme elle l'a dit, une condition impérative pour la garder ? Ce n'est pas possible. Je ne peux, je ne veux pas la perdre.

Je passe la journée du 13 cloîtré dans ce cocon familial, libéré de mon exposé à Princeton, en vacances, oscillant entre tous les choix possibles... Essayant d'oublier le monde...

De fait, la situation internationale s'aggrave d'heure en heure. Les Américains expliquent qu'ils ne laisseront pas les Chinois s'approcher des îles Senkaku et qu'ils sont même prêts à y envoyer leurs forces spéciales, en application des traités de soutien réciproque qui les unissent au Japon ; la mort dans l'âme, les Australiens se déclarent disposés à en faire autant. Le nouveau gouvernement de Tokyo réclame maintenant aux Russes qu'ils leur restituent les Kouriles, « honteuse prise de guerre qu'il convient de ramener d'urgence dans le giron de la mère patrie ». Moscou rétorque que toute approche de ces îles par des forces japonaises sera considérée comme un acte de guerre. L'Asie entière se prépare aux combats.

Du côté de l'autre foyer, les Iraniens et les Syriens attaquent Khanaqin, Sindjar et Kirkuk, trois villes du Kurdistan irakien au cœur des zones pétrolières, cependant que les islamistes syriens tentent de reprendre le contrôle d'Al-Yaroubia et Rass al-Ain, principales villes du Kurdistan syrien qui se sont autoproclamées indépendantes au tout début du conflit. Les Américains sont dans le camp turco-irakien. Les Russes, dans le camp syro-iranien.

Mes visions tendent à se transformer en réelles menaces. Et mon intuition faisant de la Russie l'épicentre d'un conflit planétaire à venir commence à se vérifier. Éviter de trop y penser.

Le 14 au matin, je quitte Paris pour Lyon et me réinstalle dans une suite de la villa Caroline. À 10 heures, heure locale, le président Obama, soucieux de ne pas renouveler son erreur dans le dossier syrien à la fin de 2013, convoque le Congrès pour lui demander l'autorisation de faire « face à toute éventualité ». Il obtient ce soutien à l'unanimité.

Coup de théâtre : le secrétaire général des Nations unies annonce qu'il a décidé de se saisir lui-même du dossier kurde et qu'il en a déchargé Mark Diffenthaler. Sans autre explication. Problème de santé ? Les dépêches soulignent que c'est une perte pour l'institution, en un moment où les combats font rage dans toutes les parties du Kurdistan. Et Mark est le seul à bien connaître l'ensemble des protagonistes.

À Paris, le président Hollande explique, dans un long discours télévisé, que la France et l'Europe peuvent être, à tout moment, entraînées sans le vouloir dans une guerre mondiale par le jeu de leurs alliances. Il propose à l'opposition de former un gouvernement d'union nationale et, pour bien montrer la sincérité de son désir d'union, demande à son prédécesseur, Nicolas Sarkozy, d'en prendre la direction. Le président propose aussi d'accueillir à Paris deux conférences pour la paix réunissant tous les belligérants de chacun des deux conflits. Le soir même, Nicolas Sarkozy refuse et réclame un grand débat au Parlement sur les raisons pour lesquelles la France se verrait obligée de participer à des conflits aussi éloignés de ses intérêts vitaux.

Le soir du 15, je dîne seul avec Che à mon hôtel. Il semble heureux, à cent lieues des grondements du monde. Son mariage, m'explique-t-il, sera aussi rapide que sobre. Presque personne, hormis quelques camarades d'école, quelques enseigants et sa mère. Il a refusé que je finance un grand dîner : « Nous ne voulons rien. » Il a même refusé que je rencontre son compagnon. Quand je m'inquiète de le voir s'unir à celui qui l'a fait souffrir, il élude.

– Tu le verras demain ! Et souris-lui, n'est-ce pas ? Et toi, tu as trouvé quelqu'un qui te rende heureux ? N'aie pas peur du bonheur ! J'ai appris que rien n'empêche davantage d'être heureux que le souvenir qu'on en a.

J'hésite. Je n'ai jamais parlé de mes histoires de cœur avec mon fils. Je dis seulement :

– J'ai longtemps cherché ce « quelqu'un », et l'ai peut-être trouvé...

– Vraiment ? Tu me la présentes bientôt ? Tu ne me présentes jamais personne ! Encore une comédienne ?

Je souris. Au fond, Yse est aussi, à sa manière, une comédienne.

– D'une certaine façon, on peut voir les choses comme ça. Je t'en dirai plus long prochainement. Quand je serai moi-même au clair…

– Méfie-toi des femmes, elles te perdront !

– Si je m'en étais toujours méfié, tu ne serais pas là pour me le reprocher !

Le lendemain, rue de Sèze, dans la grand-salle de la mairie du 6e arrondissement de Lyon dont la plupart des chaises restent vides, Tina, assise à mon côté, me sourit. Je pense à She, morte il y a six ans. Juste avant que Tina ne me quitte. Je lui dis que le compagnon de notre fils lui ressemble. Elle éclate de rire. Pour la première fois, elle ne m'émeut plus. Même sa voix ne me touche plus.

Le mariage est expédié en quelques minutes par un maire d'arrondissement qui ne semble pas spécialement enthousiaste. Un simple verre suit dans le salon voisin. Tina s'approche de moi :

– Dis-moi, Che m'a dit que Mahler et Strauss auraient le pouvoir d'enrayer tes malaises ?

– Oui, c'est nouveau. Avant…

– Avant, tu comptais.

– Tu t'en es aperçue ?

– Évidemment, bêta ! Je vivais avec toi, tu ne t'en souviens pas ? Comment aurais-je pu ne pas le remarquer ?

– Ça a commencé quand je t'ai rencontrée.

– Et tu as cru que j'y étais pour quelque chose ?

– Pas vraiment. J'ai juste pensé que tous les changements intervenus dans ma vie à ce moment-là – toi, la mort de mes parents, celle de mon grand-père, notre arrivée à New York, la naissance des jumeaux – avaient déclenché des troubles. Mais j'arrivais plutôt bien à gérer tout cela. En revanche, maintenant…

– Maintenant ?

– Mes visions deviennent de plus en plus horribles, insupportables. Je suis convaincu que je vois ce qui est sur le point de se passer quelque part dans le monde – en Russie, je pense. Compter ne suffit plus. Je n'arrive à m'en défaire qu'en écoutant de la musique, mais pas n'importe laquelle. Mahler et Strauss en particulier. Mais pas n'importe laquelle de leurs œuvres…

Tina m'interrompt :

– De Strauss, les *Métamorphoses*, le dernier acte du *Chevalier à la Rose* et, de Mahler, l'adagietto de la Cinquième…

– Comment le sais-tu ? Voilà que tu t'intéresses à la musique, à présent ?

– Avec toi, ce n'était pas le cas, pour la bonne raison que tu ne t'y intéressais pas. Mais j'adore la musique et j'allais en écouter souvent, avant toi. En particulier avec Igor.

– Avec mon grand-père ? ! Il t'emmenait déjeuner, m'avais-tu raconté.

– Il m'emmenait aussi au concert et il me parlait souvent de ces œuvres-là. Il disait qu'elles le consolaient de ses propres malheurs.

– Quels malheurs ? Que t'en a-t-il dit ?

– Il divaguait parfois ; et quand il écoutait ces œuvres-là, il se mettait à pleurer. Un jour, il m'a dit : « Cette musique est à jamais souillée. Rien ne pourra plus la laver de ces horreurs. » Sur l'instant, je n'ai pas compris et je n'ai pas insisté.

– Il ne t'a rien dit de plus ?

– Non.

Pourquoi ai-je le sentiment qu'elle me ment, une fois de plus ? Mais, cette fois, pas pour aller retrouver un amant ou pour le simple plaisir de ne pas dire la vérité, mais pour une raison bien plus sérieuse.

Dans la pénombre de ce salon surchauffé d'une mairie de quartier, ma vue se brouille. Je sens que je vais tomber. Je cherche à me retenir. Je lâche mon verre, bafouille, m'effondre. Je vois Yse tomber avec moi. Non, pas elle... Je dois la protéger... Puis je découvre une fosse profonde remplie de corps nus. J'entends de grands rires. Puis un formidable cri de colère. Je crois reconnaître une voix... Mais non. Impossible.

Tina me secoue. Che se penche sur moi, affolé.

Me calmer. La musique. Entendre cette musique. L'écouter en boucle dans ma tête... L'adagietto va me faire revenir à moi...

Pourquoi ces visions ? Quel malheur nous attend tous ?

Che s'inquiète ; il tient à me raccompagner lui-même à la villa Caroline et à s'assurer que tout va mieux. Je lui dis de rester avec son compagnon. Il refuse et me prend le bras. Nous marchons jusqu'à mon hôtel. En arrivant, j'apaise ses craintes et le renvoie :

– Je suis désolé : j'espère ne pas avoir gâché ton mariage.

– Mais non : tu étais là, c'était l'essentiel pour moi. Mais ménage-toi, tu n'es plus un gamin. Et occupe-toi de toi. Sois heureux. On se verra demain. Tu ne repars pas tout de suite ?

– Non, je n'ai pas d'obligation avant la mi-mars. Et j'attends le verdict de Princeton.

Une fois rentré dans ma chambre, besoin impérieux d'appeler Yse, de lui dire que je l'aime comme je n'ai jamais aimé personne ; de la supplier de ne pas exiger de moi d'aller à Vârânasî. Elle ne répond pas. Elle doit être partie pour sa randonnée avec Mark. Lequel a été démis de son poste… Pour quels motifs inavoués ? Que se passe-t-il dans les coulisses de cette négociation ?

Au réveil, ce lendemain mardi 17 février, une dépêche sur mon fil Twitter m'apprend qu'en début d'après-midi, hier, l'ancien secrétaire général adjoint des Nations unies, Mark Diffenthaler, en week-end en Suisse après avoir quitté ses fonctions, a fait une chute mortelle lors d'une randonnée en montagne sur les contreforts du Cervin. Son corps a été retrouvé en fin de journée au fond d'une crevasse et ramené par hélicoptère à Genève. Exactement au moment où, dans le salon de la mairie, j'ai vu Yse tomber.

Je cherche à joindre Yse. Elle ne répond pas. Est-elle morte avec lui ? Non, pas elle ! Pas elle ! J'appelle le bureau de Mark aux Nations unies à Genève. On me confirme la mort de Mark et on m'annonce que ses obsèques auront lieu dans deux jours au cimetière juif San Nicolo du Lido, à Venise, où la famille de sa femme, Martha, a sa résidence principale, que le défunt affectionnait particulièrement. Mark ? Juif ? Première nouvelle !

Impossible de savoir ce qu'il en est d'Yse. Était-elle avec lui ? Nul ne peut, ou ne veut, me répondre. C'était donc lui, l'ami aux funérailles duquel un tweet m'annonçait que je devais assister le 19 ? Qui pouvait savoir ? Il aurait été tué ? Avec préméditation, par Yse ? Non ! Ça n'a pas de sens. Sauf si... Et pourquoi, dans ce cas, m'en aurait-elle prévenu par ce tweet ?

J'irai bien entendu à Venise. Là-bas, je saurai peut-être ce qui est arrivé à Yse. Ne pas la perdre... Pas elle. Pas maintenant. Je me sens mutilé... Si elle est vivante, je ferai ce qu'elle veut. J'irai à Vârânasî.

Atterrissage à Venise ce jeudi 19 février en début d'après-midi sur un vol depuis Roissy. Une embarcation rapide me conduit directement vers l'île San Nicolo, séparée de la cité des Doges par la lagune. Le cimetière donne sur l'entrée d'un petit port jouxtant un monastère. J'apprends par le pilote du bateau que c'est le plus ancien cimetière juif de la Sérénissime, aménagé au XIVe siècle. Tous les habitants du Ghetto y étaient alors inhumés. Le pilote me raconte que George Sand et Alfred de Musset s'y sont disputés ; et que presque plus personne n'y est enterré depuis la fin du XVIIIe siècle. La famille de Martha, très ancienne lignée vénitienne, y possède un caveau et a obtenu le droit d'y faire inhumer Mark.

Foule compacte dans l'enceinte de la nécropole. Beaucoup de caméras. Le secrétaire général de l'ONU, entr'aperçu à Genève, est lui aussi présent. Il passe son temps au téléphone. Pourtant, c'est lui qui a contraint Mark à la démission il y a cinq jours. Pourquoi ? Nul ne parle de la raison pour laquelle Mark a quitté son poste. Et pas un mot sur Yse. Peut-être ne l'a-t-elle finalement pas accompagné dans sa course en montagne ? Chacun pense à la mort de Sergio de Mello, quinze ans plus tôt, à Bagdad, et à ses obsèques. Chacun avait alors reproché à Mark d'avoir survécu. Yse, comme Mark... Oui ! Je la devine vivante. Si elle était morte, je le sentirais.

Je parviens à apprendre, par un murmure de la secrétaire de Mark, en larmes, qu'une jeune femme qui l'accompagnait dans l'ascension a réchappé à l'accident et a été hospitalisée à l'hôpital central de Genève. Elle aurait entraîné Mark dans sa chute. Seul, précise d'une voix acerbe la secrétaire, Mark ne serait jamais tombé. C'est lui qui aurait dû survivre. Lui qui a tant fait pour l'ONU.

Hiératique, livide, Martha règne sur la cérémonie avec ses deux enfants d'un premier mariage. Pas de discours. Avant la mise en terre, seule face à tous, devant le cercueil posé sur des tréteaux, elle lit un texte choisi par Mark en personne. Il avait donc mis en scène ses obsèques, tout comme il avait fait du reste de son existence. Un texte superbe composé il y a vingt-quatre siècles en Chine du Sud par un philosophe connu sous le nom de Tchouang-tseu :

« L'amour de la vie n'est-il pas une illusion ? La crainte de la mort n'est-elle pas une erreur ? Ce départ vers un monde inconnu est-il réellement un malheur ? Ne conduit-il pas, comme celui de la fiancée quittant la maison paternelle, à un autre bonheur ? Jadis, quand la belle Li fut enlevée, elle pleura jusqu'à en mouiller sa robe. Quand elle devint la favorite du roi de Tsin, elle constata qu'elle avait eu tort de pleurer. N'en est-il pas ainsi pour la mort ? Ceux qui sont jadis partis à regret ne pensent-ils pas maintenant que c'est bien à tort qu'ils aimaient la vie ? Et si la vie était un rêve ? Certains, réveillés d'un rêve gai, se désolent ; d'autres, délivrés d'un rêve triste, se réjouissent. Les uns et les autres, tandis qu'ils rêvaient, ont cru à la réalité de leur rêve. Au réveil, ils se sont dit : ce n'était qu'un rêve. Ainsi en est-il du grand réveil, la mort, après lequel on dit de la vie : ce ne fut qu'un long rêve. Mais, parmi les vivants, peu comprennent ceci. Presque tous croient être bien éveillés. Ils se croient vraiment, les uns rois, les autres valets. Nous rêvons tous, vous et moi. Moi qui vous dis que vous rêvez, je rêve peut-être mon rêve… »

« Nous rêvons tous, vous et moi. » J'entends Yse derrière ce texte. L'aurait-elle recommandé à Mark ?

Silence et larmes plus ou moins contenues. Le cercueil est porté en terre ; un rabbin chante quelques émouvantes prières. Chacun vient ensuite saluer Martha. Elle refuse ostensiblement de serrer la main du secrétaire général, ce qu'enregistrent les caméras. Elle m'embrasse en murmurant : « Tu sais, Mark n'est pas mort de mort naturelle. Ce n'est pas possible ! J'ai appris, pour Larry. C'est si triste. Mark l'aimait beaucoup. Viens me voir, Tristan, viens me voir. Il faut que nous parlions. »

Vendredi 20 février au matin : après une nuit au Cipriani, je retraverse la lagune dans la brume et prends le premier avion pour Genève. Une nouvelle fois, en plein vol, des visions. Cette fois, c'est l'avion où je me trouve que je vois en feu. Je vois les passagers, mes voisins de siège, brûler. La fin des *Métamorphoses* me calme à nouveau…

Je me précipite à l'hôpital central de Genève, rue Gabrielle-Perret-Gentil. Encore un hôpital. Plus calme que celui de Lyon. Je demande Yse Ziegler. On la connaît. On me conduit au service de traumatologie. Un médecin m'explique qu'on l'a retrouvée inconsciente, assez loin du cadavre de Mark. Elle n'a aucune fracture, juste un traumatisme à la tête et plusieurs ecchymoses. Quand elle s'est réveillée, elle a déliré et a déclaré aux infirmières qu'elle ne voulait parler à personne. Seulement à son cheval et à moi, Tristan Seigner. Le médecin sourit :

– Elle commence à recouvrer ses esprits. Ça lui fera sûrement du bien de vous voir. Laissez-moi la prévenir.

Une minute plus tard, il revient, l'air embarrassé :

– Elle ne veut pas vous voir, finalement. Elle vous parlera au téléphone d'ici une heure, a-t-elle dit.

Elle ne veut pas me voir ? Pourquoi ? Est-elle en plus mauvais état qu'on ne le dit ? Ou... une idée m'assaille : est-elle vraiment tombée, ou fait-elle croire qu'elle s'est blessée ? Peut-être a-t-elle poussé Mark ? Elle n'a quand même pas fait cela pour moi ? pour nous ? !

J'attends dans un petit bureau que traversent des infirmières empressées. Cinquante-cinq minutes plus tard, le téléphone sonne. Je décroche. La voix d'Yse :

– C'est très gentil d'être venu, Tristan, mais je suis déçue : tu devrais déjà être en Inde.

Elle délire ! Je ne lui ai jamais dit que j'irais en Inde ! Sait-elle, pour Mark ? Puis-je lui dire que je suis allé à ses obsèques ?

– Ah oui, j'oubliais : tu as assisté aux funérailles de Mark ?

Encore ces transmissions de pensées, y compris par téléphone.

– Ah… tu sais donc ?

– Évidemment, je sais, puisqu'il est mort à mes côtés !

– Que s'est-il passé ?

– Nous montions facilement. Devant moi, Mark, à qui j'étais encordée, s'est aventuré sur un passage très étroit d'environ cinq mètres de long, avec plusieurs dizaines de mètres de dénivelé des deux côtés. Depuis notre départ, il était tendu. Bouleversé par son renvoi.

– Son renvoi ?

– Il était accusé d'avoir pris le parti des Iraniens et des Russes contre les Irakiens et les Turcs, et de leur avoir communiqué des informations militaires d'origine américaine. Le secrétaire général a même ordonné une enquête interne pour savoir s'il avait reçu de l'argent des Iraniens. Il a nié énergiquement.

– C'est dément : Mark n'a aucun besoin d'argent ! Martha est richissime ! Et alors ? Que s'est-il passé ?

– Avant de poser le pied sur ce passage, il s'est retourné, m'a regardée et m'a fait signe de le suivre avec un sourire de défi. Ce n'était pas très difficile, j'avais déjà fait avec lui deux ou trois fois ce genre de course. Il s'est avancé. Je l'ai suivi. Sans l'ombre d'un vertige. Soudain, j'ai senti la corde se tendre. Mark avait tiré dessus d'un coup sec, j'en suis sûre. Mon pied gauche a glissé. Je suis tombée. Je l'ai entraîné. Il n'a pas cherché à se retenir. Je vois encore son regard souriant pendant la chute. J'ai fait des saltos en arrière dans un silence absolu. Je me suis dit : c'est fini. J'ai encore eu le temps de voir une barre de rochers... Quand je me suis réveillée, la corde qui nous reliait s'était rompue. Mark se trouvait bien plus bas que moi. Je l'ai appelé. Il n'a pas répondu ; il était mort. Trois heures plus tard, un hélicoptère est venu nous chercher.

– Il s'est suicidé en t'entraînant avec lui dans sa chute ? Pour ne pas avoir à affronter l'enquête de l'ONU ?

– Personne ne le reconnaîtra jamais. On dira que c'est moi qui, à cause de mon inexpérience, ai provoqué la mort d'un grand alpiniste, d'un éminent haut fonctionnaire international.

– Et toi ? Qu'as-tu ?

– Pas grand-chose, par miracle : juste des ecchymoses. Ils vont tous m'accuser de l'avoir tué. Ma vie à Genève va devenir un enfer. Je vais devoir partir.

– Tu lui avais parlé de nous ?

– Non, pas encore...

– Je peux venir te voir ? Dans quelle chambre es-tu ?

– Je ne veux pas que tu me voies dans cet état. Ne t'inquiète pas. Les médecins disent que je sortirai bientôt. C'est si gentil d'être venu, ta visite me touche beaucoup. Et ne t'inquiète pas : la chute ne m'a rien fait oublier de ce qui commence entre nous.

– Alors, je t'attends.

– Non, tu ne m'attends pas : tu dois aller voir mon frère. Je t'en prie. Maintenant !

– Franchement, Yse, je ne vois pas pourquoi j'irais. Je ne crois pas à toutes ces histoires.

– Tu n'y crois pas ? Nul plus que toi ne devrait y croire !

– Je t'aime et ferais beaucoup pour toi. Mais là... Comprends que j'aie besoin d'un peu plus d'explications !

Un long silence au téléphone, puis elle dit :

– Mon frère cherche à augmenter ses capacités de prescience. En consultant des maîtres... de très grands maîtres... Il peut devenir extrêmement dangereux. Il faut que tu y ailles pour le convaincre de renoncer.

Elle semble avoir peur de son frère. Ou peur pour son frère ? Ou bien joue-t-elle la comédie ? Elle reprend plus brutalement :

– Tristan, je ne te le redemanderai pas une nouvelle fois. Ou tu y vas, ou bien ne m'appelle jamais plus.

J'y songe pour la toute première fois : s'il a vraiment tous ces dons, Jonasz ne pourrait-il pas être l'auteur des articles annonçant mon avenir ? Ne serait-ce pas lui qui a fait écrire tous ces articles me concernant ? Il aurait pu...

Comme si elle lisait encore dans mes pensées, Yse confirme :

– Il en est bien capable, en tout cas.

– Capable de prévoir quarante-huit heures à l'avance que mon fils allait faire une tentative de suicide ? Que j'assisterais une semaine plus tard aux obsèques de Mark à Venise ?

– Il sait depuis longtemps tout ce qui va advenir avec plusieurs jours d'avance. Peut-être même plus, maintenant. Moi, je savais un peu, mais mes dons s'effacent. Ils sont de plus en plus flous. Il connaît même la date de la mort de ceux qu'il croise. Il le sait comme une évidence, comme le musicien épelle les notes qu'il entend. D'après ce que j'ai compris, il travaille en ce moment à s'avancer plus loin dans l'avenir… pour le modifier.

– Pour devenir prescient absolu ? C'est théoriquement impossible ! Aucune théorie, aucune pratique, aucune doctrine n'y prétend.

Elle reprend :

– Il m'a pourtant expliqué qu'il pensait bientôt réussir à déplacer les événements dans le temps, à réorienter le monde à son gré.

– Personne ne pourra jamais accomplir ça. Et dans aucune culture je n'ai trouvé trace d'une pareille prétention.

– Eh bien, lui, mon frère, va bientôt y parvenir. Il y est même peut-être déjà. Tu ne vois pas ce qui se passe aujourd'hui dans le monde ? Tu ne trouves pas étrange cette accélération de catastrophes, cette accumulation d'antagonismes ? C'est lui, j'en suis certaine ! Je te supplie d'y aller au plus vite. Il m'a précisé qu'il serait « hors de portée » à partir du 23 février, c'est-à-dire dans trois jours. Je ne sais ce qu'il a voulu signifier par là. « Hors de portée »... Peut-être aura-t-il alors réussi à acquérir tous les pouvoirs... Tu vois, il ne reste pas beaucoup de temps ! Il faut que tu l'incites à renoncer, et même à user de ses dons pour prévenir les catastrophes naturelles, les accidents majeurs, les épidémies...

Croit-elle pour de bon que son frère soit à l'origine de la tension internationale ? Non, elle ne peut croire une chose pareille ! C'est absurde. Est-elle dérangée par sa chute ?

Dois-je parler de tout cela à la police ? Mon intuition me dit qu'une telle initiative me reviendrait encore plus brutalement au visage. Que cela mettrait à nu des choses que je cherche à cacher, ou plutôt que je me cache depuis longtemps... Je risque :

– Allons ! Tout cela n'a aucun sens ! Mark lui-même, pourtant placé au cœur de l'action, n'a rien pu enrayer ni infléchir ! Alors, que pourrait faire un total inconnu, sans aucun pouvoir ? Ton frère ne saurait acquérir de telles possibilités d'action. Au surplus, tu serais mieux à même que moi de le convaincre. Il ne me connaît pas.

Après un long silence, elle lâche en détachant les mots :

– C'est la dernière fois que je te le demande : vas-y maintenant !

– Pourquoi ? Pourquoi moi ?

– Tu possèdes le même don que lui, même si tu n'en as pas encore conscience. Tu pourras d'autant mieux le convaincre. Et, sinon, le contrer, infléchir l'avenir dans la bonne direction quand lui-même tentera de l'orienter dans la mauvaise.

– La prescience absolue est un leurre ! Personne ne peut agir sur le futur de façon aussi globale. Ni lui ni moi ne pouvons y prétendre ! Ton frère n'est pour rien dans ce qui se passe en ce moment en mer de Chine ou au Kurdistan. Et aujourd'hui, s'il l'était, je serais bien incapable de le contrer...

Comment peut-elle croire que j'y pourrais quelque chose ? Des infirmières entrent et sortent du petit bureau où je me trouve. Au bout de la ligne, je sens qu'elle se concentre avant de reprendre, agressive :

– Tu dis que tu m'aimes ? Alors, fais ce que je te dis ! Pars dès demain. Prends le vol de nuit au départ de Paris pour Delhi. Tu y arriveras vers 6 heures. De là, à 8 h 30 du matin, il y a un avion de SpiceJet pour Vârânasî. Tu y seras dans la matinée de dimanche. Descends dans un hôtel de Vârânasî. Compte tenu de tes goûts de luxe, le seul fréquentable est le Nadesar Palace. Il n'a que dix chambres, mais tu ne devrais pas avoir trop de mal à en obtenir une : les troubles de la semaine dernière ont chassé les touristes. Vers 18 heures, habille-toi de blanc, rends-toi à la cérémonie au Ganga Arti. Tu te souviendras ? Ganga Arti. On t'indiquera le chemin. Tu y verras une sorte de terrasse, face au Gange, où se récitent tous les soirs les prières des morts. Prends place au milieu des fidèles et attends. Il te trouvera.

Comment sait-elle tout cela ? Quel piège me tend-elle ? Pourquoi ai-je à présent le sentiment que ce séjour pourrait me délivrer de mes visions d'horreur ?

Elle insiste :

– Ne crains rien. Il ne te fera aucun mal. Quant aux émeutes, là-bas, elles se sont calmées…

– Ce n'est pas le problème… Si j'y vais… Si j'y vais… quand te reverrai-je ?

– Dès que tu en auras fini avec mon frère, il te dira où me retrouver. N'oublie pas les foulards.

– Les foulards ? Qu'en ferai-je ?

– Si tu es parvenu à le convaincre, noue le blanc à ton cou. Sinon, mets le noir.

– Comme dans la légende de Tristan et Yseut ? Ce sont des enfantillages !

– Ce signe importera, étant donné la distance à laquelle nous nous trouverons.

– Quelle distance ?

– Je ne sais pas… Je vois encore quelques ombres de l'avenir. Rien de plus… Je compte sur toi pour le convaincre. Par tous les moyens, hormis la violence. Aucune violence, n'est-ce pas ?

– Mais non, bien sûr ! Pourquoi donc ?

– Parce que tu es le seul à pouvoir le neutraliser sans lui nuire. Et je ne supporterais pas qu'on fasse du mal à mon frère. Si tu lui en faisais, je te tuerais et me tuerais ensuite.

– Pourquoi lui ferais-je du mal, si ce n'est en état de légitime défense ? Du reste, même en légitime défense, s'il détient de tels pouvoirs, il me tuera avant même que j'aie songé à l'agresser !

– Sauf si... Va, maintenant. Chaque heure compte.

Un silence. Je reprends d'une voix enrouée, quasi inaudible :

– Je vais y aller... mais ne me laisse pas sans nouvelles !

Elle éclate d'un rire léger, puis murmure :

– « Partout où il n'y a rien, lisez que je vous aime. »

– Tu me vouvoies, maintenant ?

– C'est une citation...

– Quelle femme a dit cela ?

– C'est un homme, mais il aurait mérité d'être une femme.

Long silence, puis elle murmure encore :

– Laisse-toi emporter par le fleuve de la vie, il saura où t'emmener...

– Tu sais, toi, où il t'emporte ?

– Je le sais. Les années sont comme le vin, il y a les bonnes et les mauvaises. Malgré toutes les tensions du moment, et même si je vois de moins en moins loin dans l'avenir, je sais que 2015 sera un très bon cru. Parce que vient le temps des Justes...

Je pense à la dernière phrase que j'ai entendue de la bouche de Larry : « Le temps est l'allié des Justes. »

CHAPITRE II

Vârânasî

Dimanche 22 février vers 6 heures du matin : arrivée à Delhi par l'avion de nuit d'Air India. Premier voyage à l'est de l'Inde. Pendant le vol, pourtant paisible et confortable, impossible de dormir : les mêmes visions, de plus en plus précises. La guerre, décidément, prend tournure. À l'atterrissage, je consulte les dernières nouvelles sur ma tablette : au Kurdistan comme en mer de Chine, toutes les médiations ont échoué. Tous les prix Nobel de la paix se sont unis pour lancer un ultime appel à la raison. Nul ne les a entendus. Les armées se préparent ; les politiciens pérorent devant des foules que l'angoisse rend muettes. Plus aucun doute : le jeu des alliances va entraîner le monde dans la guerre, même si personne n'a vraiment envie de se battre, si ce n'est quelques milliers de fanatiques dans chaque camp.

À Delhi, deux heures à patienter dans un salon bondé de voyageurs harassés, en attente d'un départ pour les quatre coins de la planète. J'aurais aimé avoir le temps de découvrir cette ville dont je ne connais rien : le Fort Rouge, le palais du vice-roi. Dans ce salon, chacun semble anxieux ; beaucoup ont les yeux rivés sur les téléviseurs où défilent en boucle les images d'un discours du Premier ministre indien annonçant la mobilisation générale « pour protéger la nation de toute attaque, d'où qu'elle vienne ».

Deux heures de vol pour Vârânasî. La ville sacrée de l'Inde que je connais sous le nom de Bénarès depuis que, enfant émerveillé, j'en ai lu la description par Jules Verne dans *Le Tour du monde en quatre-vingts jours*. J'imagine la même ville, mystique et délabrée. Surprise de découvrir à l'atterrissage un aéroport ultra-moderne. En descendant de l'avion, je téléphone à Che. Envie d'entendre sa voix. Il ne répond pas. J'appelle Yse… Elle ne répond pas davantage. Elle doit dormir, à l'hôpital. Je lui laisse un message lui promettant que, quoi qu'il arrive, je reviendrai près d'elle au plus vite. Si le monde va à sa perte, autant être auprès de ceux qu'on aime.

Un chauffeur du Nadesar Palace m'attend à la sortie de la douane avec une vieille limousine anglaise. Des véhicules militaires sont postés sur tout le trajet entre la sortie de l'aéroport et le centre-ville. Une ville où se mêlent, comme sur d'autres continents, taudis et gratte-ciel, mendiants et jeunes cadres. Des vaches rôdent sur les bas-côtés des routes cabossées. Des motos par milliers. Personne ne paraît respecter la moindre discipline. Conduire semble un sport mortel. Partout, les traces des récentes émeutes sont encore visibles : véhicules incendiés, boutiques pillées, barricades de pneus à demi calcinés. Pour autant, on ne sent plus aucune animosité entre les groupes qui se côtoient. Le chauffeur m'explique qu'il est fréquent d'assister ici à des éruptions de colère qui restent sans suite. Les communautés musulmanes et hindouistes coexistent en général plutôt bien. Il me dit que les événements et la crise internationale ont malheureusement chassé les touristes, et que j'ai bien fait de venir, car j'aurai moins de mal à trouver de bons guides (il en connaît d'ailleurs, et m'en propose). Une fois en ville, il me montre le Gange : il dessine ici un coude et remonte vers le nord, autrement dit vers Shiva dont le rôle, souligne mon chauffeur, est de mettre fin aux réincarnations, de libérer les âmes du cycle de vies, de leur permettre l'accès à la béatitude universelle. Pour les mêler aux trente-trois millions de noms de Dieu. Vârânasî est la seule ville au monde où les gens viennent spécialement pour mourir, dit-il avec fierté en agitant le bras hors de la portière.

Au cœur des embouteillages, le chauffeur vire brusquement à gauche en traversant une avenue au mépris du trafic. Nous nous arrêtons devant la grille d'un parc. Des gardes en uniforme fouillent le coffre et inspectent le dessous de la voiture. Ils nous font signe de passer après nous avoir offert des fleurs.

Nous pénétrons dans le parc d'un ancien palais du maharadjah. La limousine tourne à droite, puis s'arrête devant une nouvelle grille plus haute encore où d'autres gardes l'inspectent. La grille ouverte, nous nous enfonçons dans un petit bois de manguiers. Une fois viré à gauche, les arbres se font plus rares, dévoilant un palais blanc à deux étages. Le chauffeur immobilise la voiture sous un porche. Tout le personnel de l'hôtel semble réuni pour m'accueillir avec thé, gong et colliers de fleurs. On me conduit aussitôt au premier étage, sur une terrasse, à la suite « Lord Mountbatten », pleine de meubles anglais de style Chippendale. Au mur, des photos établissent que le dernier vice-roi des Indes y a fréquemment résidé.

Il est 11 heures du matin. Pas dormi du tout dans l'avion. Je m'allonge en demandant qu'on me réveille vers 16 heures.

15 h 30. Réveillé avant que le téléphone ne sonne. Trop de visions rendent mon sommeil insupportable. Douche glacée. Me changer. Il est bientôt l'heure de mon rendez-vous.

Je me renseigne sur le lieu de la cérémonie du Ganga Arti dont m'a parlé Yse. Dix minutes en taxi. La voiture traverse la place de l'Ahura Birr, où trône la statue d'un politicien de la ville. Une foule compacte va et vient en tous sens, sans aucune discipline. Des gens vêtus de jeans ou de saris, à moitié nus ou en costume occidental. Une foule bien différente de celle que j'ai fréquentée en Afrique : économe de gestes et silencieuse. D'innombrables véhicules nous croisent encore, sans respecter la moindre règle de sécurité. Nous empruntons ensuite Lahurabir Road, puis traversons le quartier musulman, jalonné d'échoppes débordant de coupons d'étoffe, de paniers d'épices et de fruits. Je dois descendre du taxi devant une insolite église chrétienne, Saint-Thomas, à l'orée du quartier hindouiste, à Girijaghar.

Je continue à pied en suivant le plan que m'a dessiné le concierge de l'hôtel. Bousculé à chaque pas, je déambule entre les poteaux de bois plantés au beau milieu de la rue, bric-à-brac des boutiques des deux côtés. Des mendiants me regardent fixement, main tendue, leurs cheveux broussailleux tombant sur les épaules. D'autres me frôlent, me défient. Des cyclistes se précipitent vers moi avant de m'éviter au tout dernier moment. J'emprunte Golden Temple Street et passe devant le temple, gardé par une dizaine de soldats surarmés. J'ai l'impression de m'être perdu. Je prends une longue venelle menant à un escalier dont les marches donnent sur une sorte de plate-forme surplombant le fleuve.

C'est là. J'en suis sûr.

Des rangées de chaises font face à une balustrade dominant une rampe qui descend en pente douce vers le fleuve. Autour de moi, des fidèles, quelques rares touristes. Deux musiciens jouent de la flûte, trois autres frappent des sortes de tambourins. Partout plane une odeur de camphre. Dos tourné au fleuve, des prêtres chantent une mélopée poignante. Comme Yse m'a demandé de le faire, je m'assieds sur une des chaises proches de la balustrade. Nul ne m'observe, semble-t-il, même si j'éprouve une sourde sensation de danger…

Au fil de l'eau, devant moi, je vois passer les cadavres de ceux qui ont tenu à venir mourir ici sans que leur famille ait les moyens de financer leur incinération. Les vivants installés autour de moi, je les vois à présent comme autant de cadavres, priant pour d'autres cadavres. Des morts veillant d'autres morts. Ma pire vision se concrétise-t-elle ? Était-ce bien cela que je pressentais ? Non… Je n'entends ni les cris ni le tir des mitrailleuses. Nous n'en sommes pas encore là.

Vais-je pouvoir maîtriser cette horreur ? Me maîtriser. Penser à autre chose. J'essaie encore de compter. Mais ce TOC ne me protège plus. Je fredonne à part moi le seizième quatuor de Beethoven, le dernier qu'il ait terminé. Je l'entends, malgré les mélopées qui m'entourent. Je me répète ce que le musicien avait mystérieusement écrit sur sa partition : « *Muß es sein ? Es muß sein !* » (« Le faut-il ? Il le faut ! »).

Le faut-il ? Oui, il le faut.

La nuit tombe. Je me calme. La cérémonie touche à sa fin. Personne n'est venu à moi. Je me lève, hésitant. Serais-je venu pour rien ? ! Je me dirige vers la sortie. Yse... Où es-tu ? Comme tu me manques...

Dans la bousculade, une poigne puissante se pose sur mon épaule et l'étreint. J'essaie de me retourner. La main m'en empêche. J'entends dire en français, haut derrière moi :

– Avancez. Passez devant. Ne vous retournez pas.

Une voix d'homme, forte et maniérée à la fois. Les mêmes intonations qu'Yse. Nous quittons l'esplanade, reprenons la venelle qui m'a conduit jusque-là ; nous revenons au carrefour ramenant vers le centre-ville. Le chemin est faiblement éclairé par les quinquets des boutiques en bordure. Les gens sont encore très nombreux autour de nous. Je maîtrise tant bien que mal mes visions en chantant encore intérieurement le thème du dernier mouvement du seizième quatuor. Nous marchons ainsi un long moment parmi la foule. L'homme reste cramponné à mon épaule. La pesée de sa main me laisse supposer qu'il doit être beaucoup plus grand que moi. Il semble se laisser guider. Serait-il aveugle ?

Quans nous parvenons devant le marché au lait, il relâche la pression. Je marque un arrêt. Il m'ordonne :

– Continuez !

Je reprends ma marche sans me retourner, mais sans qu'il me tienne. J'entends bientôt un énorme rire dans mon dos :

– C'est bien ce que je pensais. Je ne voulais pas le croire ! Elle s'est trompée : vous n'êtes pas « prescient ». Pas du tout !

Il passe devant moi tout en marchant à reculons. Un colosse au crâne rasé. Les yeux clairs, brillants ; les mêmes qu'Yse, sauf que leur éclat est plus dur. Une vilaine balafre traverse son visage comme s'il avait reçu un coup de sabre. Une boucle d'or perce son oreille droite. Des favoris noirs rejoignent une fine moustache ; pas de barbe. Il porte une chemise blanche impeccable, un jean noir et des baskets de même couleur. Sur ses épaules, un châle à damier noir et blanc replié : un keffieh.

Il continue d'avancer à reculons, avec la légèreté et l'aisance d'un danseur. Je remarque que personne ne le touche, comme si les passants l'évitaient. Il reprend :

– Comment a-t-elle pu se persuader que vous étiez « prescient » ? Vous n'êtes même pas capable de prévoir les mouvements des gens autour de vous !

– Parce que ça servirait à ça, la prescience ?

– C'est bien le minimum, vous en conviendrez !

– Vous êtes donc Jonasz, le frère d'Yse ?

De nouveau, il s'esclaffe et joue des deux mains avec son foulard comme s'il cherchait à le nouer, sans le faire :

– Qui sait ? Chacun de nous porte plusieurs noms : père, fils, amant, frère, ami, selon celui ou celle à qui il s'adresse.

Ses mains suivent les voltes maniérées de son discours. J'insiste :

– Pour Yse, vous êtes bien Jonasz ?

– Pour Yse, je suis celui qu'elle veut que je sois, au moment où elle en décide.

Que veut-il dire par là ? Sont-ils vraiment frère et sœur ? Ou amants ? Ses mains s'agitent d'étrange façon, à la manière d'un beau parleur dans un salon mondain. Marchant toujours à reculons, il interroge :

– Et vous, vous êtes qui, pour elle ? Un nouvel amant ? Oui… Elle les choisit si mal depuis… La vue de tous ces morts vous a impressionné ? Quand j'assiste à ce spectacle, je songe à la phrase de Bossuet. Vous connaissez ?

Il s'arrête, lève les bras au ciel et déclame :

– « Les plus grands rois n'ont plus de rang que par leurs vertus, et, dégradés à jamais par les mains de la mort, ils viennent subir, sans cour et sans suite, le jugement de tous les peuples et de tous les siècles… »

Qu'est-ce que je fais là ? Yse, pourquoi m'as-tu envoyé ici ?

Il se range à mes côtés, marchant maintenant de face, se baissant pour me regarder dans les yeux.

– Alors, comme ça, elle vous envoie pour me convaincre d'arrêter ? La pauvre, elle sera bien déçue !

– Vous ne me demandez pas de ses nouvelles ?

Il éclate d'un rire hystérique.

– Parce que vous croyez que j'ai besoin de vous pour en avoir ? Et même pour savoir comment elle ira demain ? Elle n'a rien à craindre… Elle n'a d'ailleurs jamais rien risqué, en fait.

Un rire aigu ponctue encore chacune de ses phrases. Il me toise des pieds à la tête.

– Elle m'a raconté tant de choses sur vous. Je pensais que vous auriez davantage de charisme… Comment a-t-elle pu penser que vous pourriez me faire changer d'avis ?

Nous nous extrayons du lacis de ruelles et retraversons la vaste place Lahurabir encombrée de voitures, de charrettes et de cycles. Il progresse d'un pas vif, toujours sans un regard au trafic, comme s'il se savait intouchable. Nul ne le bouscule ni même ne le frôle. C'est un spectacle stupéfiant, d'une rare élégance. Il pénètre à grandes enjambées dans le parc du Gateway et salue les gardes, qui semblent le connaître. Il franchit le portail du Nadesar Palace sans même m'avoir demandé si j'y logeais.

Une fois sortis du verger de manguiers qui ceint le vieux palais transformé en hôtel, nous entrons dans le hall. Jonasz semble familier des hôtesses en sari et des concierges en tunique qui s'inclinent devant lui, mains jointes en signe d'hommage. Il traverse la salle à manger et laisse tomber son grand corps dans un ample fauteuil, face à la terrasse donnant sur la piscine et le parc. Il me fait signe de prendre place sur le siège qui lui fait face et commande deux thés sans me demander mon avis. La scène me rappelle ce premier dîner à Genève avec Yse où elle avait composé notre menu à sa guise. Yse... Qu'elle me manque ! Va-t-elle mieux ?

J'interroge :

– Pourquoi dites-vous que je ne suis pas « prescient » ? Parce que je n'ai pas su prévoir le comportement des passants que nous croisions ?

– Bien sûr ! C'est la moindre des choses qu'un « prescient » sache faire.

Tout en parlant, il décrit encore avec ses mains des moulinets de marionnettiste. Je rétorque :

– Je pense être « prescient » autrement, sur des sujets de bien plus grande importance.

– Parce que vous voyez des morts devant vous ? Parce que vous croyez prévoir une catastrophe ? Ce n'est pas ça, la prescience ! Elle suppose une activité d'une tout autre précision. Elle permet, par exemple, de connaître la date exacte de la mort de chacun de ceux que l'on croise. Vous savez cela, vous ?

– Non, mais vous, vous savez comment vont tourner les événements ? Vous savez si un conflit planétaire est en passe de se déclencher ?

– Bien sûr que je le sais ! Et pas besoin de prescience pour cela ! D'abord, des tas de gens, dans les universités du monde entier, vous expliqueront que, dès lors que s'enchaînent simultanément un cycle de Kuznets, un cycle de Juglar et un cycle de Kondratieff, la probabilité d'une guerre mondiale devient maximale. Or nous y sommes depuis le milieu de 2014. Attention, danger ! Demandez à vos collègues de Princeton ! Tiens, le professeur Yacine Ait-Sahalia est justement un excellent spécialiste de ces questions ! Rien à voir avec la prescience, cela relève tout juste de la statistique ! C'est rudimentaire. De même, les historiens savent qu'il existe des âges, des périodes, des phases. Les uns et les autres sont cependant incapables de prévoir l'essentiel : l'accident, la bifurcation, l'inattendu. Lequel avait prévu l'accession au pouvoir de Hitler ? celle de Staline ? l'assassinat de Kennedy ? la chute du mur de Berlin ? la crise des *subprimes* ? l'indépendance du Kurdistan syrien ?

Est-il fou ? est-il sérieux ? Où veut-il en venir ? Il continue d'une voix brusquement grave et assourdie, comme s'il ne se parlait plus qu'à lui-même :

– La vraie prescience est difficile à imaginer. Et davantage encore à vivre. La vraie prescience, malédiction du Ciel, force à voir l'avenir dans toute sa crudité, toute son horreur.

– Une telle faculté existe donc, selon vous ?

Il me regarde furtivement. On nous sert un thé parfumé. Il pose la main à plat sur la table. Je remarque qu'il compte lentement en repliant ses doigts. Est-il lui aussi arithmomane ? Souffre-t-il vraiment du don qu'il croit posséder ?

– Bien sûr qu'elle existe ! Mais ceux qui l'endurent doivent s'en cacher. Car la vraie prescience est intolérable non seulement pour celui qui en dispose, mais plus encore pour les autres.

– Comment cela ?

– Toutes les religions décrètent que seul Dieu, quel que soit Son Nom, est « prescient » ; et que les humains ne sont pas libres d'échapper au destin qu'Il nous assigne. Certaines croyances concèdent que les humains ont le choix de faire le bien ou le mal, que Dieu les juge pour cela en les envoyant au paradis ou en enfer, ou encore en décidant de leurs réincarnations. Les philosophes ont noirci des milliers de pages pour tenter de concilier libre arbitre de l'homme et toute-puissance de Dieu. Ils parlent de grâce, de prédestination, de fatalisme… Mais aucune croyance ne s'est aventurée à concevoir un homme doué du même pouvoir que Dieu : la connaissance parfaite de l'avenir. Encore moins du pouvoir de l'influencer. Aucune ne peut même en tolérer l'idée. Encore moins la pratique…

– On peut le comprendre. Nul ne sera jamais capable d'imaginer tous les détours de l'avenir, encore moins de l'infléchir. C'est inimaginable !

– Inimaginable ? Allons bon ! Vous ne connaissez pas vos classiques ! Les trois grands (il compte sur ses doigts tout en les nommant) : Frank Herbert, dans le *Cycle de Dune* (je l'apprécie, celui-là, même s'il confond prescience et jeu d'échecs) ; Isaac Asimov, avec sa *Fondation* et sa « psycho-histoire », qui croit pouvoir calculer mathématiquement l'avenir (et qui aimait tant les fractales, comme vous, n'est-ce pas ?) ; Philip K. Dick, qui imagine des policiers recourant à la prescience pour prévenir les crimes et qui raconte les aventures d'un « homme doré » percevant tous les événements deux minutes avant qu'ils n'adviennent.

Il se ressert une tasse de thé tout en comptant encore sur les doigts de son autre main. Je l'interromps :

– C'est du roman ! On ne saura jamais ! C'est impossible. Et ce n'est pas parce que des écrivains dc science-fiction...

Il repose sa tasse, approche son visage du mien et réplique comme on tire à bout portant :

– Il y a tant de choses qu'on a longtemps crues impossibles et qu'on sait faire aujourd'hui : voler, guérir de la peste, parler et se voir à distance, aller plus vite que le pas du cheval. Il y a aussi bien des choses considérées comme scientifiquement impossibles auxquelles croient des milliards de gens : marcher sur l'eau, multiplier les pains, ressusciter les morts, se réincarner. Bien des savants pensent aussi qu'on pourra un jour lire dans les pensées d'un autre et scruter le détail des pulsions et de l'avenir de chacun.

Jonasz se cale au fond du fauteuil trop bas pour lui. Satisfait, il m'observe, goguenard.

Je rétorque :

– Je n'y crois pas une seconde ! Et si, par malheur, quelqu'un pouvait approcher un jour, même de loin, de tels pouvoirs, il deviendrait fou.

Ce serait l'enfer que de tout voir, tout savoir, ne pouvoir rencontrer quelqu'un sans deviner quand et comment il va vivre, souffrir et mourir. Ne pas tomber amoureux sans savoir quand et comment l'histoire finira. Ne pas commencer quoi que ce soit sans en connaître l'issue.

Il me regarde intensément, frissonne et compte de nouveau, en pianotant sur l'accoudoir de son fauteuil à un rythme de plus en plus rapide, fébrile. Il murmure d'une voix altérée :

– C'est en effet un horrible enfer…

Je repense aux anticipations de mes actes parues dans la presse. S'il possède vraiment de tels pouvoirs, tout s'expliquerait ! Mais ce serait trop absurde… Je reprends :

– Personne ne pourra deviner à l'avance avec précision les événements à venir.

Jonasz hausse les épaules et se ressert du thé. La nuit est tombée. Plus personne autour de nous. Sauf un serveur en tenue d'apparat qui guette chacun de nos gestes.

– Pensez ce que vous voulez. Mais, au lieu de dénigrer, vous devriez apprendre. C'est votre métier, n'est-ce pas, de chercher à comprendre les théories du temps ? Et, pour comprendre, vous êtes au meilleur endroit.

– Au meilleur endroit ?

– Oui, il y a ici des maîtres qui possèdent toutes les techniques permettant de discerner la vraie nature de ce qui existe, de se représenter le présent dans ses dimensions cachées, dont passé et futur font partie.

– Cet aspect-là me passionne. C'est exactement ce que j'aspire à faire : relier les mathématiques occidentales à celles d'autres cultures, en particulier pour ce qui a trait aux conceptions du temps. Dites-m'en davantage.

– Vous pensez à votre département d'ethnomathématique ? Ne vous inquiétez pas : il sera créé et vous serez nommé à sa tête, même si je ne suis pas sûr que vous sera accordé le temps de vous en occuper.

– Je n'aurai pas le temps parce que je ferai tout autre chose ? ou parce que je serai mort ?

Il regarde au loin. Et, après un silence :

– Qui sait où nous serons dans une heure, vous et moi !

Il a dit cela placidement, peut-être avec un brin de tristesse. Pourquoi ? Je reprends :

– Parlez-moi de cet apprentissage. Vous dites que je pourrais apprendre beaucoup, ici, sur la prescience ? Quoi ? Où ? Comment ?

– Un peu de patience, cela ne s'assimile pas en quelques minutes. Il faut avoir des dons, parler sanskrit, lire et méditer longtemps. Plusieurs vies, même.

– Essayez tout de même !

Il regarde autour de lui comme s'il voulait vérifier que personne ne l'écoute. Il chuchote :

– Pour parler simple et m'en tenir à ce que je peux vous faire connaître, je dirai que la

Connaissance absolue, le Pouvoir absolu, l'Amour absolu forment une sorte de Cœur/Cerveau plongé dans un océan où baigne l'Univers entier. Un océan dont nous ne sommes, vous comme moi, qu'une goutte. Quand nous nous trouvons à la crête d'une vague, nous en émergeons un court instant : c'est une de nos vies. Puis nous retournons au néant par l'effet de la force de gravité. Tous les faits passés et à venir qui peuvent affecter chacune de ces gouttes et les hisser sur la crête sont stockés dans ce Cœur/Cerveau intelligent et aimant. Un être humain ne peut à lui seul appréhender cette infinie complexité. Seul le peut le Voyant, s'il atteint aux super-pouvoirs.

– Quels super-pouvoirs ?

Sa voix se fait de plus en plus basse :

– Les super-pouvoirs des *bodhisattvas*. Ils permettent de recevoir la pensée des autres, d'embrasser, sans attachement ni obstacle, tous les objets connaissables appartenant au passé, au présent et au futur. Et d'approcher, avec des pratiques centrées sur le bouddha de la connaissance, Manjushri, des pouvoirs mêmes du Bouddha : se métamorphoser, voir et entendre à des distances quasi infinies, connaître la pensée d'autrui, soigner tous les maux, maîtriser ses propres vies antérieures et futures, et celles des autres.

– Et comment est-il possible d'atteindre à ces super-pouvoirs ?

Il hésite, puis me regarde avec un sourire ironique.

– Ah, on dirait que ça vous intéresse ! Ce n'est pourtant, je vous l'ai dit, qu'une malédiction. Comme il en va de toute chose désirable, il existe deux voies pour l'obtenir : l'honnête et la malhonnête. Laquelle préférez-vous ?

– Commencez par l'honnête.

– Je vous reconnais bien là ! L'honnête, celle qu'on appelle la « voie blanche », c'est la voie naturelle, compassionnelle, bénéfique. Elle passe par le biais de pratiques spirituelles étalées sur plusieurs vies, en particulier l'expérience yogique de l'éveil de la *kundalini*, la purification des *nadis*. Ces pratiques, répétées de vie en vie, permettent de devenir un « Être réalisé », disposant du pouvoir de lire l'avenir et d'influer sur lui. Mais l'Être réalisé n'utilise ce pouvoir que sur requête de l'Être suprême, et seulement pour la Réalisation suprême : l'Extase absolue. Autrement, cela entraînerait un phénoménal gaspillage d'énergie qui empêcherait la *kundalini* de monter dans le *sahasrara*. Vous comprenez ? La « voie blanche » n'est donc pas accessible à qui veut. Elle est l'aboutissement de plusieurs vies antérieures réussies, sages et sereines. Vous auriez beau vous y mettre, vous n'y arriveriez pas.

– Et la malhonnête ?

– Ah, vous y venez ? La « voie noire », c'est la voie que choisissent les impatients, ceux qui tiennent à être « prescients » en l'espace d'une seule vie. Elle implique des sacrifices personnels considérables (comme de rester sur une jambe pendant un an, de ne plus jamais faire l'amour, de prendre chaque matin une douche glacée sous une cascade, de marcher sans cesse sur des tapis de braises). Cela vous tente ?

Il joue avec son foulard et éclate d'un rire sonore qui fait se retourner le serveur, au bar. Je reprends :

– Et vous, quelle voie avez-vous suivie ?

– Yse a dû vous dire que dans notre famille...

– Une famille de « prescients », je crois. C'est donc la « voie blanche » ? Vous possédez ces « supra-savoirs » ? De naissance ?

Il hésite et me dévisage d'un air malicieux :

– Disons que je les ai... *aperçus*.

– Et c'est parce que vous les avez « aperçus » que vous avez pu lire dans mes pensées, puis vous faire passer pour moi, donner cette interview à l'*Angkor Times* faisant part de découvertes dont je ne m'étais encore ouvert à personne ? C'est aussi parce que vous êtes « prescient » que vous avez pu savoir que mon fils allait tenter de se suicider ? Sans oublier tout ce que j'ai lu ensuite : l'annonce de l'annulation de mon voyage au Brésil ? celle de la mort de Mark ? celle de ma venue à Vârânasî ? Vous savez même déjà que j'irai à Jérusalem, où je n'ai pourtant aucune envie d'aller ? Comment avez-vous pu savoir tout cela à l'avance ?

Il laisse échapper un soupir :

– Oh, ce n'est qu'une faible partie de ce que je puis faire...

– Mais il fallait pour cela entrer dans mon cerveau, voir les événements à venir avec quelques jours d'avance.

– Ce n'était pas si difficile : il y fallait juste un peu de prescience et beaucoup d'audace. Yse aurait pu le faire, avant, mais son don s'efface…

J'insiste :

– Pourquoi l'avoir fait ? Pourquoi avoir annoncé à l'avance des événements que, de toute façon, j'allais apprendre et sur lesquels je ne pouvais rien ?

– Vous ne devinez pas ? C'est pourtant simple. Pour vous mettre dans des dispositions d'esprit qui vous conduiraient à accepter de venir jusqu'ici. Mais, encore une fois, ce n'est rien : un « Éveillé » peut beaucoup plus. Y compris sur les événements du monde…

– Ah ? Vous prétendez être pour quelque chose dans la tension internationale ? dans la guerre au Kurdistan ? dans la bataille pour les îles de mer de Chine ? dans les émeutes qui se sont déroulées par ici ?

Un fin sourire, un murmure :

– L'humanité est en train de se suicider. Elle n'est plus qu'un ramassis d'enfants capricieux et monstrueux. Elle achève de détruire la nature. Elle ne vaut plus rien. Elle a gâché encore une fois tous les espoirs qu'on pouvait mettre en elle. Il faut qu'advienne une énorme catastrophe pour que les survivants mesurent le danger qu'ils courent et décident de se reprendre.

– Vous prétendez être derrière les forces qui exacerbent les « conflits jumeaux », comme on dit ?

– En tout cas, ces conflits sont là, à la fois improbables et menaçants. Ils sont comme les deux mâchoires d'une tenaille qui aurait pu tout broyer.

– Aurait pu ?

– Oui : je ne suis pas allé assez vite ; maintenant, il est trop tard.

– Trop tard ? Je ne comprends pas.

– Je n'ai plus le temps. La perspective d'une catastrophe va s'éloigner. Pour un moment... Un jour, elle reviendra et tout sera encore pire...

Étrange conversation sur la terrasse d'un palace. On vient nous apporter une nouvelle théière. Jonasz réclame des scones ; il s'en sert comme s'il n'avait rien mangé depuis trois jours. Un nouveau tic agite à présent sa main gauche, posée sur la table, près de sa tasse. Son index frappe à petits coups secs et rapides, comme s'il comptait. Je reprends :

– C'est parce qu'elle savait tout cela que votre sœur souhaitait tant que je vous rencontre ? Pour que je vous convainque de renoncer ? Pourquoi lui avez-vous répondu qu'il fallait que nous nous voyions aujourd'hui ? Que va-t-il se passer ?

Jonasz cesse de tambouriner.

– Quelque chose qui rendra vaine toute rencontre ultérieure.

– Qu'allez-vous faire ? Qu'avez-vous manigancé ? Vous allez déclencher une guerre mondiale ?

Il se lève et se dégourdit les jambes en arpentant la terrasse.

– Je n'ai pas ce pouvoir-là... Maintenant, les dés roulent et je ne connais pas la suite.

Un silence s'installe. Il me regarde de haut, me dévisage avec ironie et murmure le plus sérieusement du monde :

– Au fond, vous et moi sommes comme les personnages d'un roman.

– C'est-à-dire ?

– Seul l'auteur connaît la fin.

Où veut-il en venir ? Je risque :

– En général, l'auteur n'en sait rien lui-même. Arrivé à l'avant-dernier chapitre de son livre, il n'a souvent pas la moindre idée de la façon dont il va en terminer.

Jonasz semble apprécier ma réponse. Il agite les mains, joue encore avec son foulard. Il ne rit plus, revient s'asseoir et se fige :

– Ou, au contraire, il ne le sait que trop bien. Et c'est si profondément ancré en lui qu'il attend que cela remonte de son cœur à son esprit, puis de son esprit à sa main, pour le révéler enfin à ses lecteurs.

– Ce serait donc vous, l'auteur ? Le maître de la situation ?

– Je n'ai pas cette présomption. Je crois seulement qu'un roman n'est réussi que si l'auteur donne le sentiment de laisser vivre librement ses personnages ; et si, dans le même temps, il fait en sorte que nous, lecteurs, ayons toujours envie de tourner les pages, convaincus qu'il sait où il nous emmène.

– Vous savez où vous nous emmenez ? Vous savez où nous allons ?

Il éclate de rire. J'insiste :

– Vous savez, par exemple, quand, et comment, je vais mourir ?

Il me regarde droit dans les yeux.

– Oh, je sais ce que je veux bien savoir...

Puis il ajoute, en détachant les mots :

– Par exemple, je sais que moi, je vais mourir bientôt. Parce que cela, je *veux* le savoir.

Je reste muet. Puis je balbutie :

– Pour l'empêcher ?

Il hausse les épaules, reprend sa marche de long en large, ne me parlant que quand il est près de moi.

– Je ne l'éviterai pas.

– Ah ? Pourquoi ? Et comment allez-vous mourir ?

– D'un accident que je ne souhaite pas éviter.

– Pourquoi ? Quand ça ?

– Dans une trentaine de minutes. Devant votre hôtel. On vous ramènera mon corps. Vous vous occuperez de ma crémation. Je ne vous le demande pas : je sais que vous le ferez.

Je le contemple, sidéré :

– Mais... si vous savez qu'un accident vous attend en sortant d'ici, pourquoi y aller ? Il vous suffit de ne pas quitter l'hôtel et de rester dîner avec moi.

Il marche à nouveau, s'arrête, me regarde et répond sobrement :

– Ce n'est pas pour contester la qualité de votre conversation, qui est grande. Mais c'est ainsi. Je ne veux ni ne peux me placer en travers de mon destin. Ce n'est pas grave : je crois en la réincarnation. Ce que je ne puis achever maintenant, je le ferai dans une autre vie. Je provoquerai alors cette catastrophe qui assurera la renaissance de l'humanité. C'est consciemment que je décide donc d'aller au-devant de ma mort.

– Comme Teddy...

Il s'immobilise, intrigué :

– Vous le connaissez ?

Je murmure :

– Oui, un enfant de six ans, héros d'une nouvelle de Salinger. Un enfant qui sait quand chacun, y compris lui, va mourir et qui l'accepte sereinement, parce qu'il pense qu'il va se réincarner. Oui, je connais.

Il enchaîne :

– Ou comme Boèce, ce grand patricien du IVe siècle, qui écrivit son chef-d'œuvre en prison en attendant son exécution.

– *Consolation*...

– En effet. Décidément, votre conversation risque fort de me manquer...

– Vous seriez-vous senti obligé de venir mourir devant cet hôtel si je n'y étais pas venu ?

Il se rassied :

– Mais vous êtes venu. Et cela, je le savais...

– Je ne peux donc rien pour vous ? Yse m'a donc envoyé ici pour rien ?

Il se dresse à nouveau, les deux mains plaquées sur la table comme s'il craignait de tomber.

– Pas du tout ! Votre venue était essentielle pour... comment dites-vous ? Achever le dessin de la fractale ! La fractale de la vie...

– Si vous n'aviez plus qu'une heure à vivre, n'aviez-vous pas mieux à faire que de la passer avec moi ?

Il pose une main sur mon avant-bras, l'étreint et continue :

– Vous lui direz que je ne suis plus un danger pour le monde. Vous le lui direz, n'est-ce pas ? Promettez.

– De quelle façon lui dirai-je cela ?

Il semble hésiter, me regarde au fond des yeux, comme s'il ne comprenait pas ma question. Je relance :

– Comment pourrai-je raconter à Yse que je ne vous ai pas empêché d'aller mourir ? J'en serai incapable ! Et elle m'en voudra terriblement.

– Vous verrez, ça se passera très bien. Vos retrouvailles se dérouleront on ne peut mieux.

J'hésite, puis j'ose :

– Yse a dit que vous m'indiqueriez où la retrouver.

– En effet. J'allais oublier... Trouvez-vous après-demain mardi à Jérusalem.

– Elle sera à Jérusalem ? Pourquoi ? Elle peut désormais voyager ?

– Elle va bien. Juste quelques ecchymoses qu'elle désirait vous cacher… Elle vous retrouvera au cimetière du mont des Oliviers, près de votre future tombe. C'est bien là, n'est-ce pas ?

– Ma tombe ? Mais comment savez-vous ? Comment sait-elle ?

Il refait un geste maniéré des deux mains comme pour dire : « N'en parlons plus », et reprend :

– N'oubliez pas : après-demain, mardi 24 février 2015, à 17 heures précises. Soyez à l'heure. Une belle surprise vous y attendra.

– C'est donc vous qui m'avez aussi expédié ce message disant que j'irais bientôt sur ma propre tombe ? Tout comme vous aviez écrit tous les autres ? Yse m'a parlé d'un foulard blanc et d'un foulard noir ! Elle connaissait ce rendez-vous.

– Elle a encore parfois quelques très vagues visions de l'avenir, dont celle-là.

Il hausse les épaules, regarde le ciel et murmure :

– À présent, je dois y aller.

Je le retiens par la manche de sa chemise :

– Restez ! Défiez votre destin ! Il vous suffirait de dîner avec moi ce soir !

Il me considère avec une certaine colère, se dégage de mon emprise et joue avec son écharpe à damier. Il me dit, du ton dont on corrige un enfant pris en faute :

– Vous êtes un homme de bien, donc dangereux… Je vous hais aussi pour cela…

Il ajoute :

– Vous devriez, ce soir, faire le vide en vous et méditer. Sans plus penser à rien...

Il va pour m'embrasser, se ravise, recule, m'adresse un petit signe et s'éloigne sans se retourner. Je le regarde partir. Brusquement, j'y songe : il porte autour du cou un foulard noir et blanc. Quel rapport avec les deux foulards d'Yse ?

Rester là ? Non... Je me lève et je le suis de loin.

Arrivé sur la place devant l'hôtel, il traverse sans regarder, comme je l'ai vu faire tout à l'heure. Il évite une moto, une deuxième. Une voiture le contourne. Une grosse camionnette où s'entassent une dizaine d'ouvriers épuisés fonce sur lui, il l'esquive en se déplaçant sur la droite. Le chauffeur tente lui aussi de l'éviter, mais tourne le volant dans la même direction et le renverse ; une roue passe sur lui. Je me précipite. Il est inconscient, mais respire encore. Les gens s'attroupent et se chamaillent autour de lui. Les passagers de la camionnette insultent le chauffeur. Je sens que, si l'on attend l'ambulance, Jonasz mourra avant son arrivée. Je demande aux gardiens en faction devant l'hôtel de le transporter jusque dans ma chambre. Ils hésitent, puis l'installent dans la jeep de police et le ramènent à l'hôtel, malgré les protestations véhémentes des majordomes qui préféreraient le voir transférer à l'hôpital.

On le dépose sur le canapé dans le salon de ma suite. Il est si grand qu'il en dépasse. Son souffle ralentit. Affolés, les majordomes appellent l'hôpital. Il leur faut dix minutes pour joindre quelqu'un au téléphone.

Quand une ambulance arrive enfin, le médecin ne peut que constater le décès de Jonasz. Les employés de l'hôtel se disputent, hurlent, exigent de le faire transporter à la morgue ; je refuse. Pressé de voir disparaître le corps, le gérant de l'hôtel, qui semble bien le connaître, organise au plus vite la crémation pour demain matin, lundi 23 février, à la première heure.

Je veille Jonasz toute la nuit. Je l'entends encore me demander, il y a peu, de faire le vide en moi. De méditer sans plus penser à rien. C'étaient ses derniers mots.

Je contemple son corps avec affection. Pourtant, je le devine, cet homme voulait ma mort. Encore une intuition dont il me faudra me débarrasser. Il ne peut plus me nuire. Tant de pensées m'assaillent…

Prévenir Yse ? Pas tout de suite. Je le lui dirai de vive voix, à Jérusalem. Il l'a dit. Je suis sûr qu'elle y sera.

Le lendemain 23 février à l'aube, des volontaires de Manikarnika Ghat viennent me demander si j'ai de quoi payer le bûcher, soit l'équivalent de 400 euros. Ils me rasent les cheveux, ne me laissant qu'une petite mèche sur la nuque, puis m'habillent de blanc. Ils drapent le corps de Jonasz dans un linceul qu'ils recouvrent de fleurs, et l'emportent à bord d'une camionnette. Sans y réfléchir, je noue son foulard à damier autour de mon cou et les suis. Nous prenons le chemin que nous avons emprunté hier soir ensemble. Un chagrin sans cause précise m'envahit. Je ne pense qu'à Yse. Sait-elle déjà ? A-t-elle deviné ? Que lui dirai-je ? Quelle souffrance je pressens en elle…

Devant l'église Saint-Thomas, nous quittons la voiture. Une courte procession se forme. Nous continuons à pied, portant le corps sur une planche en bois. Nous descendons jusqu'à la rive du fleuve par un étroit chemin, à quelques mètres de la balustrade contre laquelle se tenait la cérémonie d'hier. Des hommes presque nus s'affairent à rassembler du bois à proximité d'une cheminée de brique. D'autres plongent le corps de Jonasz dans le fleuve, puis l'en retirent et le placent sur le bûcher. Un homme me tend une hachette. Je ne comprends pas ce qu'il attend de moi. Il me fait signe de fracasser le crâne de Jonasz sous le linceul : « Pour permettre à l'âme de sortir du corps et de monter au ciel », explique-t-il dans un mauvais anglais.

Je ne peux m'y résoudre. Je repousse la hachette, mais il insiste. Son regard est comminatoire.

Je frappe une fois. J'entends le craquement des os. Je ferme les yeux. Deux, trois, quatre, cinq fois. Je vais défaillir. Je n'en peux plus. Il me tend alors le *maha shmashan puri*, le « feu qui ne s'arrête jamais » ; j'embrase le bûcher. Je sens que je vais tomber.

Le bûcher. La fournaise. Les détonations du bois sec qui flambe. La chaleur. Le cadavre de Jonasz. Yse. Jonasz. Le bruit se transforme en vacarme. J'entends… Je vois… J'ai compris… Enfin… C'était donc ça ?

CHAPITRE 12

Jérusalem

Le bûcher. D'autres flammes. D'autres cris. Des pleurs. Des hurlements en russe. De la neige. Il fait soudain très froid.

Et je le vois : mon grand-père en uniforme de l'Armée rouge. En tout cas, un homme qui lui ressemble à s'y méprendre, quoique beaucoup plus jeune.

Il m'a donc fallu ce bûcher à Vârânasî pour comprendre : mes visions n'ont rien à voir avec l'avenir. Ce sont des réminiscences de tragédies vécues il y a exactement soixante-dix-sept ans par mon aïeul, le docteur Igor Sziniawsky, membre du Comité central du Parti communiste de l'Union soviétique, en charge de la musique, de l'art lyrique et du ballet au département de la Culture. Comme une fractale lentement construite en se précisant, et qui, à la fin, ne ressemble plus en rien au dessin initial.

Il a fallu ce bûcher pour me laisser voir cette histoire comme mon grand-père l'a vécue : au début de février 1938, Igor est envoyé par le patron de la police politique (le NKVD), Enoch Gershonovitch Iagoda, pour accompagner à Kazan, sa ville natale, une compagnie spéciale de l'Armée chargée de punir des paysans révoltés contre la corruption des apparatchiks locaux et la famine. Igor proteste : il est en charge de la musique au sein du Comité central, pas de la police. On lui conseille de ne pas discuter : il est tatar, natif de Kazan. Refuser le conduirait à être considéré comme un ennemi du peuple. Et, en ces temps de grandes purges…

Le 17 février, alors que se déclenche une violente tempête de neige, les troupes commandées par trois commissaires politiques et cinq officiers arrivent en camions dans un premier village révolté, à dix kilomètres de Kazan. Igor, qui les suit en voiture avec réticence, est retardé par un accident. Voyant les soldats approcher, les paysans prennent peur. Certains se mettent à fuir, estimant que leur salut se trouve au bout de leur course effrénée à travers bois. Mais la troupe commence à tirer. D'abord sur les femmes et les enfants. Puis sur les vieillards armés de bâtons. Enfin sur les hommes, qui tentent de se servir de leurs fusils de chasse. Igor, qui les a rejoints, essaie de s'interposer. Les trois commissaires politiques le repoussent : les ordres de Iagoda sont de faire un exemple. La troupe traque les survivants, fait irruption dans les masures du village. Les gosses : un coup de crosse les fait taire ; leur crâne s'ouvre comme une noix. Il suffit de pousser du pied une porte pour se trouver face à un vieillard en longue blouse : un coup de baïonnette, et il s'effondre. Derrière, dans le noir, une douzaine de paires d'yeux de femmes. Celles que les soldats ne gardent pas pour s'amuser, ils leur enfoncent la baïonnette « par le trou fait exprès », comme dit un sergent. Igor a beau hurler, ils sortent les femmes dont ils ont envie dans la cour. L'honneur de commencer, conviennent les officiers, revient aux trois commissaires politiques. Igor tente à nouveau de s'interposer. Ivres de sang, les autres le repoussent. Les sous-officiers menacent de lui régler son compte. Les commissaires le font attacher au capot d'un camion pour qu'il ne perde rien du spectacle. Ils font dresser un enclos bordé d'un fossé pour les hommes ; ils y font asseoir plus de mille paysans. Puis ils font aménager de l'autre côté du fossé un autre enclos plus exigu pour les femmes. Ils ordonnent à tous de se déshabiller dans la neige et de s'approcher du fossé. Ils mettent les mitrailleuses en batterie. Les femmes et les enfants crient, pleurent. Certains hommes essaient encore de résister et sont abattus les premiers. Puis les soldats commencent à tirer dans le tas. Les occupants de l'enclos se piétinent, tentent de fuir, en vain. Les corps roulent, s'accumulent. Les soldats poussent les cadavres et les blessés pêle-mêle dans la fosse avant de les recouvrir de terre mouillée de neige.

C'était donc cela…

La troupe progresse ensuite vers les autres villages, Igor toujours ligoté au camion. Sûrs de trouver leur pitance, une horde de chiens suit à présent le détachement. À chaque village, le même scénario se répète. Quand ils ne savent plus que faire des prisonniers qui encombrent et ralentissent le convoi, les soldats décapitent, pendent, assomment, précipitent les corps dans des puits, dressent de nouveaux bûchers.

J'entends les cris et les crépitements du feu au bord du Gange...

Les commissaires politiques encouragent les bourreaux et se moquent d'Igor. Celui-ci réussit à s'échapper de Kazan le 24 février 1938, il y a exactement soixante-dix-sept ans.

77... 77 ?

Quand Yse avait inscrit ce nombre, à la dernière page du manga qu'elle m'avait offert, j'avais songé à l'âge que j'aurais à ma propre mort. Ou à ce qui se passerait dans quelque trois quarts de siècle, en 2092. Pas à l'année 1938, dont je lui avais parlé en dînant. J'aurais dû y penser... Que sait-elle ?

Igor arrive à Moscou le lendemain, à temps pour apprendre l'arrestation du chef de la police politique, Iagoda, et assister, du 2 au 13 mars 1938, au procès dit du « Bloc des vingt et un droitiers et trotskistes antisoviétiques ». Iagoda, Boukharine, Boulanov, Levin, Kassakov, Maximov, Rikov, Zelensky, Ikramov, Khodjaïev, Charangovich et quelques autres comparses sont accusés d'avoir fomenté un complot visant à « assassiner Staline, saper l'économie soviétique, servir les intérêts de l'Allemagne, de la France, du Japon et du Royaume-Uni ». Ils sont tous condamnés à mort et exécutés.

Fin mars, prévenu de son arrestation imminente pour « révisionnisme dans le champ artistique », Igor parvient à passer en Allemagne, puis en France. Là, il change de nom et songe à s'installer comme médecin, quand la guerre éclate.

En septembre 1940, Igor Seigner rallie un maquis anticommuniste. Il y rencontre Léa, ma grand-mère. Mon père naît à Toulouse en 1943. Après la guerre, mon grand-père change radicalement d'univers. Il s'intéresse à l'art africain, dont il a rencontré un éminent collectionneur dans le maquis. Il en devient un expert mondialement reconnu. Il voyage partout en Afrique et accumule œuvres, armes et ustensiles. Il achète une boutique quai Voltaire et devient un grand marchand d'art premier. Il ne parle jamais plus de son passé. L'image du massacre de villageois ne le quitte jamais. Seule la musique, en particulier quelques œuvres qu'il aime par-dessus tout, réussit à dissiper son épouvante. Des œuvres qu'il connaissait avant de quitter la Russie : Beethoven, Verdi, Bellini ; des œuvres vilipendées par la direction du PCUS, d'autres encore découvertes à son arrivée en France : Mahler et Strauss. Pas un seul compositeur russe. Il les écoute en boucle, jusqu'à sa mort, un demi-siècle plus tard.

En 1990, mon père comprend que son propre père souffre de visions et que celles-ci ont à voir avec son passé. Il cherche et découvre que quelque chose s'est passé à Kazan, sa ville natale, juste avant son départ d'Union soviétique. En 1991, après la *perestroïka*, il décide de s'y rendre et d'y fouiller les archives. Igor le supplie de ne pas rouvrir ces vieilles plaies. Mon père y va quand même, accompagné de ma mère. Ils meurent tous deux à leur retour, dans un accident d'avion au décollage, sur l'aéroport de Kazan. C'était un vieux Tupolev de l'Aeroflot assurant la liaison avec Moscou. Les sièges y avaient été remplacés par des banquettes de bois et les paysans y montaient avec leurs paniers, leurs volailles.

Qu'avait découvert mon père ?

Igor meurt deux ans plus tard sans rien avoir raconté à personne, si ce n'est peut-être à Tina...

Je regarde le bûcher achever de se consumer. Jonasz, Igor : leurs images se mêlent.

Mes obsessions n'ont donc rien à voir avec une catastrophe à venir. Elles ont commencé non pas avec ma rencontre avec Tina, ni à mon arrivée à Princeton, mais à la mort de mon grand-père. Une vision transmise de génération en génération sans même qu'on en parle, un acte de loyauté familiale.

La vision reviendra-t-elle ou va-t-elle s'éloigner définitivement ? Suis-je enfin libéré ? Il m'a donc fallu transiter par le passé pour comprendre l'avenir ? N'est-ce pas ce qu'Yse voulait me laisser entendre en m'envoyant ces deux mangas dont l'un parlait explicitement d'un secret de famille que le héros devait élucider en retournant vers le passé ? Que savait-elle au juste de tout cela ?

La crémation est terminée. Aucune odeur déplaisante ne m'a assailli. On me tend un petit os et un peu de cendre dans une urne miniature. Le reste est jeté dans l'eau du Gange.

Il est midi quand je rentre, hagard, à pas lents, au Nadesar Palace, manquant par dix fois de me faire renverser par une moto ou une voiture. Je monte dans ma chambre, y prends une longue douche. Me laver du passé, de mes visions.

Puis, nouvelle séance de recueillement : « Vous devriez, ce soir, faire le vide en vous et méditer… », m'avait dit Jonasz.

J'organise ensuite mon voyage à Jérusalem, *via* Delhi. Jérusalem, où je n'ai jamais été. Où tout me portait à croire que je n'irais jamais de mon vivant. J'appelle Yse. Elle ne répond pas. Est-elle déjà partie là-bas ? J'irai de toute façon à sa rencontre. Et lui dirai la vérité sur la mort de son frère. Y croira-t-elle ? La connaît-elle déjà ?

Fractale. Je pense à ce village de Zambie aux maisons en forme d'ellipses convergeant vers celle du chef dont j'ai parlé à Genève. D'ellipse en ellipse, j'ai été conduit jusqu'à la maison du chef, au fond du village.

Ce mardi 24 février 2015 à l'aube, je quitte Vârânasî pour Delhi. J'emporte avec moi l'urne contenant un peu des cendres de Jonasz, et un article du *Vârânasî Times* de ce matin racontant qu'un Européen, dont le journal ne cite pas le nom, résidant au Nadesar Palace, a été tué dans un accident de la circulation et a tenu à se faire incinérer sur place. Peut-être Yse l'aura-t-elle déjà lu ? Sans doute sait-elle déjà...

En vol, pas de vision. Suis-je libéré ? J'écoute Mahler, Verdi, Strauss... Pourquoi Igor n'a-t-il jamais fait partager son goût pour cette musique ? Pourquoi ne m'a-t-il jamais fourni aucun indice ? Et Jonasz ? Est-il déjà réincarné ? A-t-il recommencé à ourdir son complot ? Mais non, je n'y crois pas. Je ne dois pas y croire.

Escale à Delhi. Les nouvelles du monde sont meilleures : le président Obama a cédé à l'ultimatum chinois, les troupes américaines se sont retirées des îles Senkaku. S'agissant du Kurdistan, le secrétaire général de l'ONU annonce que toutes les parties en cause ont accepté le plan proposé par son ancien adjoint, feu Mark Diffenthaler. Un plan subtil, explique-t-il, qui préserve les intérêts de tout le monde et prélude à une éventuelle indépendance du Kurdistan dans un cadre confédéral rassemblant tous les pays de la région. Le monde devra beaucoup, conclut-il, à Mark Diffenthaler.

Partout, et d'abord en Inde, les ordres de mobilisation sont rapportés.

Jonasz avait laissé entendre qu'une détente générale suivrait sa mort... Il aurait donc manigancé tout seul cette tension mondiale pour faire mourir l'humanité ? Dieu et Noé à la fois. Non !

Impossible. Lui seul n'a pas pu ! Non, personne n'aurait pu…

Les commentateurs retiennent de cet épisode que les États-Unis ont reculé sur tous les fronts ; que l'Europe n'a joué aucun rôle ; que, durant cette crise, plus personne n'a parlé de l'Afrique, laquelle n'était le lieu d'aucun conflit majeur. En France, l'ex-président Sarkozy s'est déclaré prêt à assumer les fonctions de Premier ministre. Le président Hollande répond que ce n'est plus d'actualité.

Et maintenant ? Je n'aspire plus qu'à vivre ma vie, pas celle que les autres auront voulue pour moi. La partager avec Yse. Son absence m'est devenue intolérable. Douleur bien plus profonde que celle où m'avait laissé le départ de Tina. Impossible de vivre sans elle. Voudra-t-elle encore de moi ? Je ferai tout pour cela, y compris renoncer à Princeton.

L'avion d'El Al atterrit à l'aéroport Ben Gourion ce mardi à 15 h 15. Je me rends compte que, sans l'avoir décidé, je porte autour du cou le foulard à damier de Jonasz. Je rallume mon portable.

Un message du président de Princeton m'apprend que le conseil d'administration de l'université a décidé, hier dans l'après-midi, de créer un département d'ethnomathématique au sein de la faculté de mathématiques et de m'en confier la responsabilité. Je suis attendu dans une semaine pour le mettre en place.

Cela n'a de sens que si Yse m'accompagne. Le voudra-t-elle ? Je me réjouis de le lui annoncer. Est-ce la « bonne surprise » que Jonasz m'avait prédite ? J'appelle encore Yse. Elle ne répond toujours pas. Si Jonasz a dit vrai, elle m'attendra pourtant dans une heure au cimetière du mont des Oliviers.

Après une très longue inspection par des officiers de sécurité intrigués par mes voyages récents, à peine sorti de l'aéroport, je fonce vers Jérusalem. Quarante minutes de route dans les embouteillages de fin d'après-midi. Je regarde défiler les vignobles sur la droite, les colonies sur la gauche. Puis les villages arabes. C'est ma première visite dans ce pays qui devrait m'attirer et où j'ai choisi d'être enterré. Étrange choix. Sans doute, encore une fois, pour ne pas choisir entre les multiples femmes qui pourraient se croire autorisées à décider du lieu de mon dernier sommeil. Comme au fond du village zambien, au sommet absolu de la fractale. À bord du taxi, en écoutant les informations, j'apprends que toutes les tensions s'apaisent, partout dans le monde, et que, à la surprise générale, les négociateurs palestiniens et israéliens, réunis en secret depuis un mois à Genève par la fondation Schwab, progressent vers une reconnaissance mutuelle de leurs frontières. Je repense à ce que disait Larry la dernière fois que je lui ai parlé : « Le temps est l'allié des Justes. »

La voiture entre dans Jérusalem. Rien d'émouvant dans cette enfilade d'immeubles et de parcs, sinon la pierre rose qui recouvre tous les bâtiments. La ville est calme. Il fait froid et sec. Le jour baisse. Le taxi prend son temps. J'ai réservé une chambre au King David, face à la Vieille Ville. Parce qu'on m'a dit que l'endroit était mythique, incontournable. Je le verrai plus tard. Pas le temps d'y passer avant la fermeture du cimetière.

Une fois arrivé sur le mont des Oliviers, les gardiens hésitent à me laisser entrer : c'est bientôt l'heure de fermer. Je montre l'acte de propriété de ma concession. Ils me laissent entrer, mais sans ma valise, que le chauffeur accepte de déposer à mon hôtel.

Je pénètre dans l'immense nécropole qui domine la Vieille Ville et la vallée du Golgotha. Je cherche le caveau que j'ai réservé en suivant les instructions que m'avait fournies l'avocat. Difficile, dans la semi-obscurité. Je le trouve enfin, presque au plus haut de la colline, adossé à un muret. Je le contemple avec sérénité : cela fait beau temps que la mort ne m'impressionne plus.

Devant moi, le soleil finit de se coucher à droite d'une grande mosquée au dôme d'or. Al-Aqsa... Pas d'Yse en vue.

Mon téléphone vibre. Yse ? Non, Evlyn. Je ne décroche pas. Puis Tina. Je ne décroche pas non plus. Puis Che. Que se passe-t-il ? Je décroche. Il semble affolé.

– Papa ? C'est toi ? C'est bien toi ?

– Mais oui, pourquoi ?

– Où es-tu ?

– À Jérusalem.

– Oh, mon Dieu ! Mais qu'est-ce que tu fais en Israël ? ! Tu ne serais pas sur le mont des Oliviers, au moins ?

– Bien sûr que j'y suis.

– Dans le cimetière ?

– Oui. Pourquoi ?

– Pars vite ! Cours ! Un tweet du *Haaretz* vient d'annoncer que tu as été tué il y a une heure par une inconnue qui s'est suicidée peu après. Justement au cimetière des Oliviers ! Cela fait partout les gros titres. On parle d'un attentat terroriste. Pars vite, papa, je t'en supplie !

Je comprends : Jonasz m'a tendu un piège. Il a dû dire à Yse que j'allais le tuer, puis que je me rendrais à Jérusalem au mont des Oliviers. Elle me l'avait bien dit : « Je ne supporterais pas qu'on fasse du mal à mon frère. Si tu lui en faisais, je te tuerais et me tuerais ensuite. »

Pas difficile d'organiser ainsi ce meurtre par-delà sa propre disparition. Pourquoi a-t-il fomenté cela ? Quel projet cachait-il, plus compliqué encore que je ne le pensais ? N'était-ce qu'une ultime façon de manipuler l'avenir ? Ou bien le désir de voir Yse le rejoindre ?

Je ne suis aucunement effrayé. Ne pas courir. Revenir lentement sur mes pas, vers la sortie du cimetière.

Mon téléphone ne cesse pas de sonner. J'entends des sirènes de police sans doute attirées par le tweet.

Au loin dans la pénombre, je devine une silhouette qui s'avance vers moi : Yse. Elle a les mains dans ses poches. Cache-t-elle une arme ?

Je n'aurais pas dû venir à Jérusalem. C'est ce qui m'a conduit dans le piège où je me trouve maintenant, face à la mort. À moins que…

Les sirènes hurlent, de plus en plus proches. Je vois des ombres courir au loin et se déployer parmi les tombes. Arriveront-elles avant qu'Yse ne me tue ?

Elle s'avance.

Si je lui parle, si je lui montre les cendres de son frère et l'article du *Vârânasî Times*, elle ne me tuera peut-être pas ?

Le faire ? Ne pas le faire ? Impossible de si loin.

Le foulard : blanc ou noir ? Noir et blanc. Le damier…

Elle se tient à quelques mètres de moi. Des policiers se ruent vers nous en hurlant.

Elle s'approche encore, souriante. Elle est tout près de moi. Aussi près qu'à Genève, à la sortie de la salle de conférence…

Elle sort les mains de ses poches ; elles sont vides. Elle les passe autour de mon cou, m'embrasse et murmure :

– Tu vois : notre vie ne sera jamais ce qu'ils en disent.

Remerciements

Les thèses développées par Tristan Seigner dans le deuxième chapitre de ce roman sont en partie inspirées par les travaux de Benoît Mandelbrot, dans son livre *Les Objets fractals* (« Champs Sciences », Flammarion, 2010). Et par ceux de Ron Eglash, en particulier la conférence qu'il donna dans le cadre de TED Global en juin 2007, ainsi que son livre *African Fractals : Modern Computing and Indigenous Design* (Rutger's University Press, 2008). Les versions de *Tristan et Yseut* auxquelles il est fait ici référence sont celles de Béroul et de Bédier, telles qu'on les retrouve dans l'édition de la Pléiade. Les mangas de Jirô Taniguchi dont il est question au chapitre 6 ont été publiés en français par les éditions Casterman. *Opération Shylock*, de Philip Roth, a paru en français en 1988 chez Gallimard. La citation du chapitre 10 est extraite d'une lettre écrite par Denis Diderot à Sophie Volland le 10 juillet 1759. La citation de Bossuet au chapitre 11 est extraite de l'oraison funèbre d'Henriette d'Angleterre, duchesse d'Orléans. La nouvelle de J. D. Salinger, « Teddy », est parue le 31 janvier 1953 dans le *New Yorker*. Le récit du dernier chapitre est très librement inspiré d'un massacre perpétré par l'armée française en 1958 en Sanaga, au Cameroun.

Je remercie aussi comme à l'habitude mes assistantes, Murielle Clairet et Rachida Derouiche, pour leur travail de déchiffrement de mon écriture ; Claude Durand, Sophie de Closets et Sophie Kucoyanis pour leur travail éditorial ; ainsi que tous les relecteurs des éditions Fayard.

DU MÊME AUTEUR

Essais

Analyse économique de la vie politique, PUF, 1973.

Modèles politiques, PUF, 1974.

L'Anti-économique (avec Marc Guillaume), PUF, 1975.

La Parole et l'Outil, PUF, 1976.

Bruits. Économie politique de la musique, PUF, 1977, nouvelle édition, Fayard, 2000.

La Nouvelle Économie française, Flammarion, 1978.

L'Ordre cannibale. Histoire de la médecine, Grasset, 1979.

Les Trois Mondes, Fayard, 1981.

Histoires du Temps, Fayard, 1982.

La Figure de Fraser, Fayard, 1984.

Au propre et au figuré. Histoire de la propriété, Fayard, 1988.

Lignes d'horizon, Fayard, 1990.

1492, Fayard, 1991.

Économie de l'Apocalypse, Fayard, 1994.

Chemins de sagesse : traité du labyrinthe, Fayard, 1996.

Fraternités, Fayard, 1999.

La Voie humaine, Fayard, 2000.

Les Juifs, le Monde et l'Argent, Fayard, 2002.

L'Homme nomade, Fayard, 2003.

Une brève histoire de l'avenir, Fayard, 2006 (nouvelle édition, 2009).

La Crise, et après ?, Fayard, 2008.

Le Sens des choses, avec Stéphanie Bonvicini et 32 auteurs, Robert Laffont, 2009.

Survivre aux crises, Fayard, 2009.

Tous ruinés dans dix ans ? Dette publique : la dernière chance, Fayard, 2010.

Demain, qui gouvernera le monde ?, Fayard, 2011.

Candidats, répondez !, Fayard, 2012.

La Consolation, avec Stéphanie Bonvicini et 18 auteurs, Naïve, 2012.
Urgences françaises, Fayard, 2013.
Avec nous, après nous..., avec Shimon Peres, BakerStreet/Fayard, 2013.
Histoire de la modernité, Robert Laffont, 2013.

Dictionnaires

Dictionnaire du xxie *siècle*, Fayard, 1998.
Dictionnaire amoureux du judaïsme, Plon/Fayard, 2009.

Romans

La Vie éternelle, Fayard, 1989.
Le Premier Jour après moi, Fayard, 1990.
Il viendra, Fayard, 1994.
Au-delà de nulle part, Fayard, 1997.
La Femme du menteur, Fayard, 1999.
Nouv'elles, Fayard, 2002.
La Confrérie des Éveillés, Fayard, 2004.

Biographies

Siegmund Warburg, un homme d'influence, Fayard, 1985.
Blaise Pascal ou le Génie français, Fayard, 2000.
Foi et Raison – Averroès, Maïmonide, Thomas d'Aquin, Bibliothèque nationale de France, 2004.
Karl Marx ou l'Esprit du monde, Fayard, 2005.
Gândhî ou l'Éveil des humiliés, Fayard, 2007.
Phares. 24 destins, Fayard, 2010.
Diderot ou le Bonheur de penser, Fayard, 2012.

Théâtre

Les Portes du Ciel, Fayard, 1999.
Du cristal à la fumée, Fayard, 2008.

Contes pour enfants

Manuel, l'enfant-rêve (ill. par Philippe Druillet), Stock, 1995.

Mémoires

Verbatim I, Fayard, 1993.
Europe(s), Fayard, 1994.
Verbatim II, Fayard, 1995.
Verbatim III, Fayard, 1995.
C'était François Mitterrand, Fayard, 2005.

Rapports

Pour un modèle européen d'enseignement supérieur, Stock, 1998.
L'Avenir du travail, Fayard/Institut Manpower, 2007.
300 décisions pour changer la France, rapport de la Commission pour la libération de la croissance française, XO/La Documentation française, 2008.
Paris et la Mer. La Seine est Capitale, Fayard, 2010.
Une ambition pour 10 ans, rapport de la Commission pour la libération de la croissance française, XO/La Documentation française, 2010.
Pour une économie positive, Fayard/La Documentation française, 2013.

Beaux-livres

Mémoire de sabliers, collections, mode d'emploi, Éditions de l'Amateur, 1997.
Amours. Histoires des relations entre les hommes et les femmes, avec Stéphanie Bonvicini, Fayard, 2007.

Impression réalisée par
CPI BRODARD ET TAUPIN
La Flèche

pour le compte des Editions Fayard
en février 2014

PAPIER À BASE DE
FIBRES CERTIFIÉES

Fayard s'engage pour
l'environnement en réduisant
l'empreinte carbone de ses livres.
Celle de cet exemplaire est de :
0,850 kg éq. CO_2
Rendez-vous sur
www.fayard-durable.fr

Imprimé en France
Dépôt légal : mars 2014 – N° d'impression : 3004332
35-33-2714-0/01